P9-DDP-120

Praha **2000**

Halina Pawlowská

Banánové rybičky

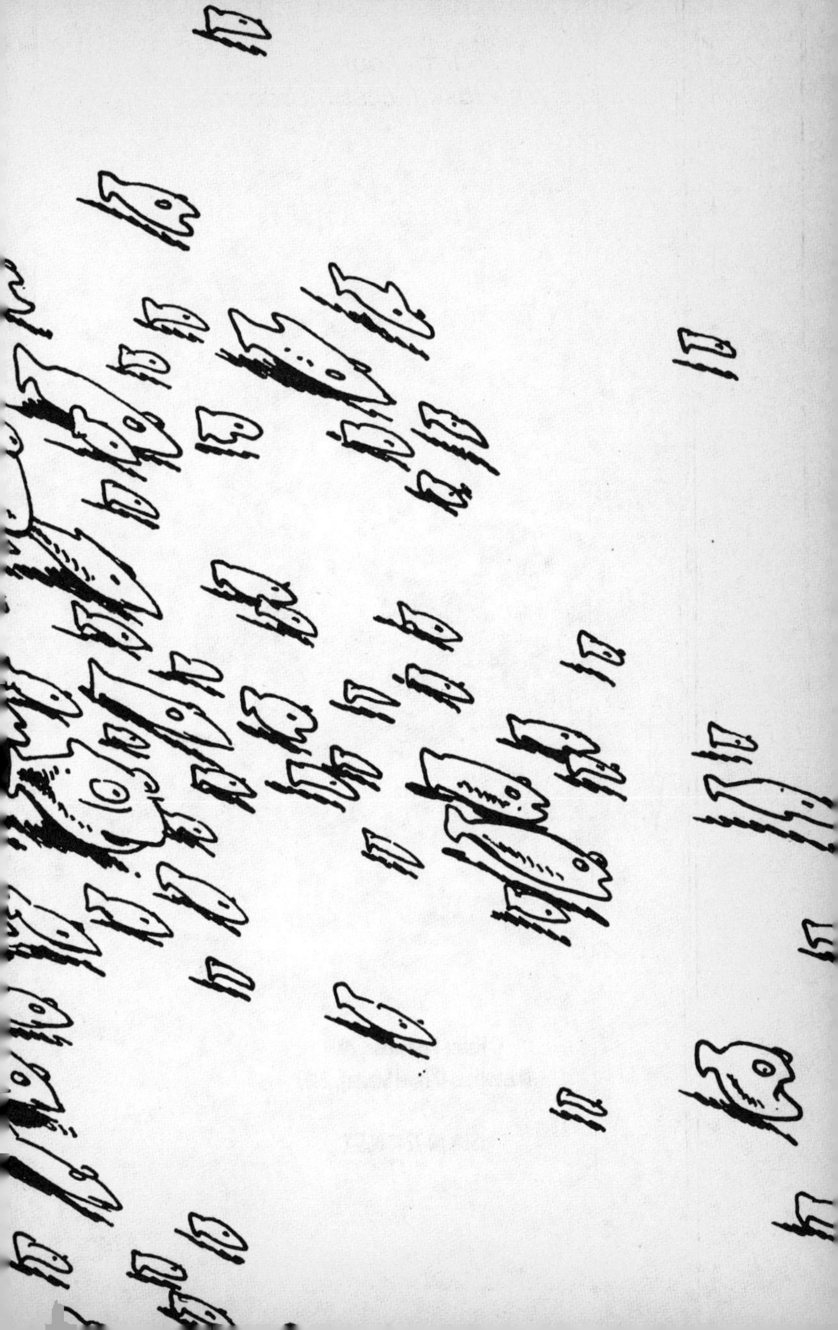

Tatínkovi
za jeho lásku, čest a hrdost

© Halina **Pawlowská**, 2000
Illustrations © Pavel **Šťastný**, 2000

ISBN 80-7246-065-X

Úvod

Spisovatel Salinger napsal povídku *„Den jako stvořený pro banánový rybičky"*. Ta povídka je smutná. Je totiž o mladém muži, který jednoho dne (který je jako stvořený pro banánové rybičky) přišel na to, že pro něj už nemá cenu žít.

A protože tenhle pocit můžeme mít některý den i my, tak jsem se pokusila o *„návod"*, jak ten den (i všechny ostatní dny, kdy nás čekají deprese, zmatek, puberta, rodiče, zoufalství, láska i manželství) přežít.

P. S.: A, prosím, nezapomeňte nikdy na to, že rady vám ochotně poskytne skoro každý, ale peníze?! Ty vám většinou nedá nikdo.

Jak přežít
neopětovanou
lásku

Když mi bylo dvanáct, byla jsem u tety na chatě. Zmítala jsem se v poryvech citů, protože vedle na chatě byl Honza. *„Teto,“* vzlykala jsem. *„Co mám dělat, aby mě chtěl?“* *„Chtěj ho!“* řekla teta.

Lásku bohužel ke štěstí potřebuje většina lidí. Nejčastější varianta lásky je láska k partnerovi. Někdy to bývá partner opačného pohlaví a skoro vždycky je k vypučení lásky nutné partnera získat.

Cítím potřebu teď upozornit, že se pokusím spravedlivě rozdělit své rady pro muže i ženy. Vím ale dopředu, že to půjde těžko, protože ženy zkrátka milují víc a protože muži, kteří připustí, že jejich láska je neopětovaná, nestojí za řeč!

Moje dcera šla nedávno na rande a hrozně se fintila. Zeptala jsem se jí. *„A co dělají rodiče toho chlapce?“* A dcera mi odpověděla: *„Jak to mám vědět, vždyť ani nevím, co dělá on!“* To mne znepokojilo. Zeptala jsem se proto dcery, jaký má při výběru chlapců žebříček hodnot. Nerozuměla mi. *„Jakej žebříček?"* *„Na čem ti u něj záleží nejvíc?"* řekla jsem trpělivě. *„No přece na tom, aby byl hezkej! Hlavně, aby byl hezkej!"* řekla dcera. Rozčílilo mne to. Zahájila jsem výchovnou lekci na téma, jak důležité jsou u člověka duševní hodnoty a jak na zevnějšku pramálo záleží. Pak zazvonil telefon. Přerušila jsem svou přednášku a vzala ho. Když jsem sluchátko položila, dcera měla na tváři zvláštní úsměv. *„Kdo to byl?"* zeptala se. *„Pavel,"* odpověděla jsem. *„Jó, Pavel,"* protáhla dcera. *„A chtěl s tebou jít na kafe a ty jsi řekla, že nemůžeš, i když dneska nic nemáš!"* *„No...,"* přiznala jsem. *„A co?"* *„No, že na tom mým žebříčku hodnot něco je!"* řekla dcera. A něco na tom jejím měřítku hodnot tedy je. Náš rodinný přítel Pavel totiž šilhá a měří metr dvaašedesát!

Když chcete získat pozornost muže, nenoste v kabelce verše od Byrona, nekupujte lístky do klubových kin, nenoste šedou mikinu a černé pláťáky. Když chcete upoutat pozornost muže, tak zapomeňte na klišovitou frázi školních čítanek, ve kterých je napsáno: Lásku zevnějškem nezískáš! Když chcete získat lásku, držte se pravidla „tří M", a to pravidlo je mou první radou. Zní totiž:

MELÍR, MAKE UP A MINI!

Mé dceři je osmnáct, fascinovaně ji sleduji, protože právě na ní paradoxně vidím, kolika milostných chyb jsem se v životě dopustila, právě dcera mi otvírá oči, jak jsem mohla mít život mnohem snazší. Mne vychovali heslem: „Zaujměte intelektem." Má dcera se přímo ukázkově řídí radou, která zní: „Buďte hloupá!" Má dcera ví proč. Když jsme byli v létě v Itálii, tak se tam skamarádila s jinou Češkou a obě se prudce zamilovaly do mladého italského číšníka. Mluvil výborně anglicky. Kamarádka mé dcery taky výborně mluvila anglicky. Kamarádka i číšník si asi šest dní sdělovali své postřehy na zvyky Italů, Čechů, Francouzů i Slováků. Má dcera – anglicky se učí stejně dlouho jako její prázdninová přítelkyně – mlčela. Nerozuměla ani slovo.

Po šesti dnech měla kamarádka žaludeční potíže. Má dcera šla na schůzku s číšníkem sama. Ve snaze přiblížit se jeho mateřštině ho srdečně přivítala. *„Buenos Aires!"* řekla a... číšník jí nadšeně padl k nohám!

Mé přítelkyně mají zhruba stejně staré dcery, jako mám já. Byla jsem s nimi na chalupě a hovořily jsme o životě a já jsem jim opět velmi výchovně radila, jak mají muže vábit, jak by si jich chlapci po překotném intimním sblížení přestali vážit, až mi kamarádka dcery řekla: *„Já rozhodně nepodlehnu hned, já podlehnu až potom!"* A když jsem chtěla vědět, kdy **potom**, tak mi zajíkavě vysvětlovala, že prostě až... potom! Druhá kamarádka se naprosto nezajíkala. Řekla: *„Já se sexem nespěchám, já ho normálně dělám!"* A to jsem vzhledem k tomu, že všechny čtyři dívenky

11

mají zatím v milostném životě úspěch, upřesnila ve své další radě takhle:

DO POSTELE HNED!

Protože když se tam něco začne, tak... je velmi pravděpodobné, že to bude pokračovat.

Většina časopisů tvrdí, že pro ženu je ideální, když se bude v životě chovat prakticky a dokáže si vždycky poradit sama.

Já žádné velké ambice vystačit si sama nemám. Zase mne v dětství poučila teta. Za prvé mi řekla, že ona nikdy nechtěla být holkou do nepohody, že chtěla být vždycky naopak dámou v pohodě, a když jsme jednou byli na nádraží a já tam byla se svým mužem a taky se strýcem a horečně jsem se sápala po našich kufrech a sháněla jsem se, na které jít nástupiště, tak mi teta – bělovlasá stařenka – naléhavě zašeptala: *„Nech je dělat ty nedůležité věci!"*

A proto má další rada je: **nebuďte schopné, výkonné a samostatné. Daleko víc na vašeho potenciálního partnera zapůsobí, když...**

BUDETE VÍLOU!

V deváté třídě má kamarádka milovala kluka z béčka. My chodili do céčka. Neuhnala ho sama, uhnaly jsme ho kolektivně. Pět holek měl na krku. Psaly jsme mu milost-

12

né dopisy, telefonovaly mu milostné vzkazy, chodily jsme ulicí, kde bydlel, a pořád jsme mu předhazovaly, jak ho Alice šíleně miluje, jak je Alice hezká, jak se Alice líbala i s klukama z průmyslovky, až Olda z béčka požádal Alici, aby s ním šla do kina. Alice byla tehdy tou honbou – trvala asi osm měsíců – tak uštvaná, že film absolvovala, a když jsme s ní druhý den triumfálně chtěly slavit její milostný úspěch, tak nám znechuceně řekla: *„Už ho nechci. Potí se mu ruce."*

Rada psychologů, jak získat partnera, o kterého máte zájem, zní: Nepoužívejte nefér metody! Má daleko prověřenější rada je:

NENÍ NAD ŠPINAVÉ TRIKY!

Myslím, že nejklasičtější úskočnou fintou je tahle velmi frekventovaná věta: *„Toužím mít tvoje dítě a slibuju ti, že JINAK po tobě nebudu nic chtít!"*

Mimochodem – já se tvářím, bůhvíjaký jsem expert na to, jak má žena dostat muže, a přitom jsem sama nalétla svému muži.

Kdysi dávno, když mne chtěl (velmi dávno to bylo), tak mi po noci vášně svěřil, že se má za čtrnáct dní ženit. Tvrdil, že je na svatbu všechno přichystané a že ta svatba být prostě musí. Pak, když viděl, jak jsem ochromená zoufalstvím (velmi dávno to bylo), tak mého muže najednou napadlo, že jediným řešením bude, když sice za čtrnáct dní bude mít svatbu, ale nevěsta nebude ta dívka, co si ji má vzít, že nevěstou budu já!

Bylo mi dvacet, bylo září, začala jsem studovat vysokou školu a... byla jsem vdaná! A jsem dodnes.

Jak získat někoho, kdo nás nechce?

Pořád nám vtloukají do hlavy: **Neztraťte sebeúctu!** Pořád jde kolem hlas: **Není nad důstojnost.** Pořád se říká: **Nejhorší jsou hysterické scény!**

Má přítelkyně milovala muže v Americe. On se tvářil, že ji taky miluje. Přítelkyně spořila a jela za ním. A když přiletěla, tak zjistila, že on ji možná taky miluje, ale že se určitě miluje ještě s další ženou. Příšernou! Přítelkyně hned první večer po příletu rozdrápala svému miláčkovi obličej, rozbila mu nábytek, dvě a půl minuty se válela po koberci v křečích a pak – finančně i psychicky zruinovaná – odletěla do Čech.

Vztah nakonec dopadl báječně. Američan s přítelkyní dnes žije v Praze a přítelkyně tuhle řekla: *„Robert mi vždycky tvrdil, že nesnáší hysterky. Nedávno měl ale takový zasněný výraz, a když jsem se ho zeptala, na co myslí, tak mi řekl, že si vybavil, jak ho jeho první žena při odhalení nevěry špičatou botou hystericky kopala do žaludku. A tak mě napadlo, že muži sice nesnášejí hysterky, ale... že kdybych tehdy v Americe neudělala tu strašnou scénu, že by za mnou nikdy nepřijel!“*

A to je pravda. Nebojte se proto scén,

slz, výčitek, hádek a předstíraných sebevražd. Když chcete získat lásku, tak jde o život! A když jde o život, tak...

MUSÍTE VYHRÁVAT, PAK NIC NEBOLÍ!

Nejde přece o to, aby si nás partner vážil, jde o to, aby nás – krásné, pitomé, křehké, ochotné, rafinované a zamilované – MILOVAL!

A teď ještě dvě drobné rady navíc: Ženy! Neopětovanou lásku přežít nelze! Lze ale celý život zasvětit lovu na toho, koho jste si vyhlédly. A mimochodem, když se pes žene lesem za kořistí, tak vůbec nepřemýšlí o důstojnosti. Štve prostě to zvíře tak dlouho, dokud ho nedostane!

A teď se obracím k vám, mužům! Jestli máte pocit, že vaše láska není opětovaná, a jestli chcete přežít, tak...

TAK SE NA TO VYKAŠLETE!

Nás žen je přece dost!

Jak přežít
žárlivost

Nedávno se můj muž díval s naším synem na kanadský přírodovědecký film. Hovořilo se tam o jelenech, jejich parozích, a když se náš syn dozvěděl, že tohle rozpětí je často větší než dva metry, tak se užasle podíval na mého muže a řekl: *„Tati, ty jeleni mají parohy větší než ty!*

Náš syn měl na své nevinné mysli to, že můj muž měří jen metr osmdesát!

Za doktorem Plzákem jednou přišla dáma a zeptala se: *„Jak vysoká je pravděpodobnost, že je mi můj muž nevěrný?* A doktor Plzák odpověděl: *„Pravděpodobnost je tak vysoká, že byste se mě na ni radši vůbec neměla ptát!"* Ale dáma pořád chtěla vědět fakta. A tak se dozvěděla, že devadesát pět procent partnerů si věrnost nezachová. A že do těch pěti procent věrných jedinců patří jen velmi výstřední typy a impotenti. Dáma chvíli přemýšlela a pak řekla: *„Aha, takže když mi můj muž zahýbá, tak vlastně můžu být ráda, protože je normální!"* A je to tak!

Jedna má přítelkyně měla známost se svým podřízeným. Nehrálo to v podstatě výraznou roli, jen tehdy, když má přítelkyně musela svého milého poslat na školení ostatních podřízených. Vůbec se jí to nelíbilo, ale byla šéfem oddělení a větší šéfové zkrátka chtěli jejího vyvoleného školit. Chtěli ho školit tři dny uprostřed lesů v super hotelu a v kolektivu dvaadvaceti žen ve věku od osmnácti do padesáti. Přítelkyně si nejprve zjistila, že z dvaadvaceti žen je pět svobodných, sedm rozvedených a deset zadaných tak dlouhodobě, že i u nich lze počítat s tím, že by si chtěly svůj sexuální život ozvláštnit. Přítelkyně byla do svého podřízeného tak zamilovaná, že byla přesvědčená, že se o jejího miláčka budou dokonce všechny (dvaadvacet!) ženy prát. Ponížila se proto na maximum a do lesů na školení přijela neočekávaně taky. Její milý podřízený byl kupodivu rád. Strávil s přítelkyní bouřlivou noc a pak se šel školit, jak se má chovat vůči autoritativním šéfům. Jeho šéfová mezitím bojovala sama se sebou boj, zda má nahlédnout do milencovy aktovky. Boj prohrála. Vrhla se do slídění a hned objevila, že milý má v aktovce novou krabičku kondomů. A protože s ní kondomy nikdy nepoužíval, tak jí došlo, že si je vzal na školení, „kdyby náhodou". Kdyby náhodou došlo k situaci, kdy by bylo vhodné po kondomech sáhnout. Mou přítelkyni tehdy ranilo poznání, že by její milý byl vůbec něčeho takového schopen. Ještě víc ji ale dožral fakt, že se situací „kdyby náhodou"

17

promyšleně počítal. Byla tak rozzuřená, že si nic nepromýšlela a s krabičkou prezervativů vtrhla do sálu, kde právě psycholog říkal: *„Panovační šéfové často rádi dávají najevo svou převahu!"* Přítelkyně se vrhla na svého milence, začala do něj bušit a přitom řvala: *„A panovačné šéfové nejradši ze všeho vyrážejí zuby!"*

Další má přítelkyně byla pověstná svou žárlivostí. Její partner jí dokonce jednou řekl, že když ho bude pořád podezírat, že ji opustí. Přítelkyně se proto velice krotila. Pak s milencem odjela za jeho slovenskou tetičkou. Vypili s ní asi čtyři lahve vína, snědli husu a slastně usnuli. Pak se přítelkyně probudila žízní. A všimla si, že její přítel má na kufru položený diář a telefonní seznam, do kterého se nikdy nesměla ani juknout. Taky si přítelkyně všimla, že na stole stojí láhev s husím sádlem a s husími játry. A pak se to mé přítelkyni v ovíněné hlavě všechno pomotalo a rozhodla se, že ochutná játra a přitom se přesvědčí, že její milý nemá v notýsku žádná telefonní čísla tajných milenek. K realizaci této báječné myšlenky chyběla přítelkyni vidlička. A protože nechtěla bloudit v cizím domě, tak svou, díky alkoholu nepřesnou, ale chtivou pracičku strčila do husího sádla až po loket, nahmátla játra, a konzumovala! A lustrovala diář!

Ráno se probudila sténáním. Sténal její milý. Sténal, protože si vymkl kotník, a kotník si vymkl proto, že podlaha celého pokoje byla od sádla jako kluziště. Pak nakonec uviděl svůj notes s cákanci jater, pak uviděl, jak kamarádka mastnýma packama proštrachala jeho značkové košile, poznamenala jeho elegantní trička, a husí stopu našel dokonce i v náprsní kapse svého nejoblíbenějšího saka. A co udělal milenec, který vyhrožoval, že nesnáší slídění, odposlechy a kontrolování?! Milenec se pod tíhou poživačné lásky své přítelkyně zhroutil a byla svatba! A já z toho příběhu vyvodila důležitou radu. A ta zní:

PRACUJTE BEZ RUKAVIČEK!

Jedna má kamarádka má šíleně žárlivého manžela. Ten je tak žárlivý, že ona se s ním bojí dívat i na televizi. On totiž sleduje, jak se ona dívá na herce, a mučí ji dotazy, zda by eventuálně herci dala. Přítelkyně se nedávno opozdila, šla z práce, a protože chtěla zabránit scéně, tak pro jistotu hned ve dveřích volala: *„Dneska udělám tvoje nejoblíbenější jídlo. Budou škubánky!"* A manžel se na ni vrhl a zfackoval ji. Dohra byla u doktora. A muž tam docela vážně tvrdil: *„V tu chvíli, jak řekla, že mi udělá škubánky, tak mi bylo jasný, že jde od milence a že jemu už dala maso!"*

Na fenoménu žárlivosti – Shakespeare žárlivost nazýval zelenookým démonem – je fascinující, že člověk něco chce, po něčem pátrá, a když se toho dopátrá, tak vlastně nemůže udělat nic víc než trpně zkonstatovat: *„Tak vidíš!"* A když někdo žárlí bezdůvodně, tak je to jedno, protože žárlivec stejně nedá pokoj, dokud nebude stát nad místem hříchu a křičet: *„Já věděl, že mám pravdu!"*

Má další rada pro přežití žárlivosti proto zní:

NEVINA NIKOHO NEZACHRÁNÍ!

Nikoho nezachrání ani nebezpečí. Jeden můj kamarád na venkově měl hysterický záchvat žárlivosti, protože si všiml, že když hasili stoh, tak jeho žena stála obzvlášť těsně vedle traktoristy.

Před žárlivostí nikoho nezachrání ani smrt! Královna Johana Šílená měla za muže Filipa Sličného. Dělala mu šílené scény, jeho údajným milenkám stříhala vlasy, mlátila je cepem, a když Filip umřel, tak nařídila, aby Filipovy pozůstatky byly cestou z Burgosu do Granady ukládány pouze v mužských klášterech.

Jeden můj známý odešel z domova; truchlil; všiml si totiž, že jejich jezevčík se přátelsky choval k instalatérovi, a bylo mu tedy jasné, že instalatér spí s jeho ženou.

Jak tedy přežít žárlivost?
Má rada zní:

POMOHOU VÁM LŽI!

Mému strýčkovi bylo asi šedesát, když najednou začal dostávat do práce dopisy. Psala mu v nich nějaká žena, že ho zná, že se jí líbí a že je do něj zamilovaná. Mému (ženatému) strýčkovi se dopisy líbily. Začal se lépe strojit, rozhlížel se ulicí, chtěl se s tou ženou seznámit. Zvlášť tehdy, když mu začala psát své erotické představy. Taky měl představy. A pak jednou dostal nabídku, aby se s pisatelkou sešel. Že bude sedět v hale hotelu a bude mít v ruce žlutou růži. Strýc šel do hotelu. Nenápadně koukl do haly. A tam sama – jen se žlutou růží – seděla jeho manželka. Dopisy i výzvy – to byl její speciální dárek k jejich třicátému výročí svatby. A byl to pro ni (a pro něj) taky důkaz, že každý je schopen všeho!

Po návratu ze služební cesty mé sestřenici její manžel řekl: *„Musel jsem spát se sekretářkou v jednom pokoji, protože to při rezervaci spletli a v hotelu nebylo jiné místo."* Má sestřenice nejdřív zařvala: *„A snad mi nechceš namluvit, že jsi s ní nic neměl?"* Pak se sestřenice vzpamatovala a dodala: *„No vlastně… je to možné. Protože, víš, jak jsi byl pryč, tak jsem se přes noc zdržela u šéfa, a taky mezi námi nic nebylo!"*

Chcete zachránit vztah plný žárlivosti? Tak se řiďte touto radou:

POZOR! PRAVDA VÁS ZABIJE!

A myslím tím, že i když vás žárlivec přistihne, tak v zájmu zachování vztahu je důležité lhát, lhát a lhát! A ještě jednou pozor! Někteří muži jsou často tak znaveni milenkou a manželkou, že se k nevěře přiznávají rádi!

Proto je nejen důležité se nepřiznat, ale dokonce ani na okamžik nedat svému partnerovi šanci, aby se přiznal on! A když nelze jinak, musíte partnerovi v přiznání fyzicky zabránit.

Žárlivostí poznamenaný vztah se dá někdy řešit **nenápadnou** pomstou. Jedna má přítelkyně dokázala mistrně tajit, že ví, že její muž je jí nevěrný. Dokázala se potlačit dokonce tak dalece, že se na manžela líbezně usmívala. A nejvíc tehdy, když mu na cibulce dusila psí žrádlo z konzervy, hladila muže po prošedivělé hlavě a šeptala: *„Ty můj věrný pejsánku!"*

Vztah se někdy docela dobře řeší **nápadnou** pomstou. Jednou jsem taky měla problémy s mužem. Vlála jsem ulicí a on s novou přítelkyní taky a tak nějak nebezpečně jela kolem nás tramvaj a dívka mne strhla stranou a řekla: *„Neblázni, přece jsi nechtěla skočit pod tramvaj!"* A já jí řekla: *„Ne! Já jsem pod ni chtěla strčit tebe!"* Můj muž tehdy pochopil sílu mé lásky, bál se mě a... mám ho doma!

Jo! Ale jedna známá se s přítelem, který se **přiznal**, rozešla a pak mu do cestovního pasu do kolonky zvláštní znamení napsala: *„Nemá ho."* Teď řve smíchy, když si představí útrpné pohledy všech, kteří do manželova dokladu nahlédnou.

Další má přítelkyně žárlila a její muž se taky přiznal. Ona kvůli němu opustila Ameriku, vrátila se do Čech a truchlila. Její maminka byla na nevěrníka naštvaná, zvlášť když se dozvěděla, že byl její dcerce nevěrný s bohatou starou babou. A pak jel nevěrník do Říma na dovolenou a shodou okolností tam byla taky matka zrazené kamarádky a zahlédla bídáka u Kolosea. Znala ho jen z fotografie, ale to jí stačilo, aby se neovládla a do očí – ona, neznámá žena v cizí zemi – jemu – neznámému muži, řekla: *„Být prostitutkou je odporné, ale když si nechá platit chlap, tak by ho měli zabít!"* Nevěrník se strašlivě lekl, měl pocit, že ústy starší dámy na něj promluvil Bůh, a teď nejenže neloví cizí ženy, ale... chodí už třetím rokem k psychiatrovi!

Jiná má kamarádka – moudrá a dlouho vdaná – občas řekne: *„Dneska jsem mu udělala radost."* Myslí tím, že před obličejem svého muže mávala nožem, protože jejich sousedka se na něj koukala tak lačně, že je jí jasné, že on s ní něco má!

Chcete přežít žárlivost? Tak...

BUĎTE TAKTNÍ A ŽÁRLETE!

A buďte rádi, když máte na koho!

Čínské přísloví říká: *„Žena, která nežárlí, je jako míč, který neskáče."*

A já říkám: *„Muž, který nehřeší, není muž!"*

Jak přežít
svatbu

Víte, proč jsou svobodní muži hubenější než ti ženatí? Svobodný muž totiž přijde do kuchyně, otevře ledničku, nic nového tam nevidí, a tak jde spát.

Ženatý přijde do ložnice, koukne do postele, tam nevidí nic nového, a tak jde do ledničky!

Teď si dovolím básnický příměr. Kdybych lidský život přirovnala k zámku, tak by svatba byla honosnými, tajemnými dveřmi, které by se otevřely do nejskromnější komůrky. A to je možná právě ten důvod, proč se kolem každého svatebního obřadu nadělá tolik štráchů!

Za svatbu století je označována svatba prince Charlese s lady Dianou. Tehdy poměrně lakomá královna Alžběta vydala přes půl milionu dolarů. A to šetřila, protože v Británii rostla nezaměstnanost. Na svatbě královna vydělala skoro miliardu.

Hodně štráchů se pochopitelně nadělalo kolem Dianiny svatební róby. Diana měla šaty z hedvábí v barvě slonové kosti a měla vlečku, která měřila dvanáct metrů, byla ze staré, třpytivé krajky, Diana o ni zakopávala a dvě z družiček přes ni spadly.

Má přítelkyně Dana měla svatbu nepoměrně méně honosnou, ani její šaty nebyly tak majestátní, ale přesto jim Dana i její rodina věnovali obrovskou pozornost. Dana chtěla šaty starorůžové a tehdy – v osmdesátých letech – nebyla v obchodě starorůžová látka. Dana si proto dala látku obarvit. Týden před svatbou dostala do ruky pět metrů sytě hnědého žoržetu, ve kterém by vypadala jako stará teta. Na poslední chvíli si proto nechala šít (jako lady Diana) šaty v barvě slonové kosti, a protože byla spořivá (jako královna Alžběta), tak zvolila střih, aby se šaty daly nosit i po obřadu normálně do společnosti. Ženich Dany před svatbou narychlo stěhoval nábytek, aby měl kam ubytovat příbuzné z Moravy, neumyl si ruce a Danu k sobě tiskl tak náruživě, že na jejích šatech nechal šedé šmouhy. Když se je Dana snažila smýt, tak jí na šatech zůstalo divně žluté mýdlo, a když ji všichni příbuzní z Moravy přátelsky poobjímali, tak už její svatební šat nebyl v barvě slonové kosti, ale připomínal zašlou utěrku na nádobí. Pak se ještě na róbě objevily kousky chlebíčků, jahodový dort, káva a čokoládový likér. Pak dala Dana šaty do čistírny a z čistírny jí místo společenského modelu vrátili šatičky na Barbínu. Měřily čtyřicet centimetrů!

Kolem mé svatby se moc štráchů nenadělalo, protože byla tajná. Nebyli na ní rodiče, příbuzní ani peníze. Můj svatební model tvořily šaty, ve kterých má maminka v roce 1949 promovala. Byly z žoržetu. Měla jsem k nim oranžové podkolenky a zelenobíle pruhované boty na slaměném klínu. Vlasy mi zdobila mašle... Když jsem vycházela z Vyšehradu, byly tam dvě holčičky: *„Která je nevěsta?"* ptala se jedna. A ta druhá s absolutní převahou odpověděla: *„No přece ta černá!"*

Má rada pro všechny ty, které si myslí, že v nejdůležitější den svého života musí být nejkrásnější, zní:

NECHTĚJTE BÝT JAKO Z POHÁDKY!

Svatba totiž není nejdůležitější den a princezna?! Je statisticky dokázáno, že kdyby muži viděli svou vyvolenou nejdřív ve svatebních šatech s čerstvým účesem, že by k sňatku nikdy nesvolili! V den svatby totiž všechny nevěsty (jen výjimky potvrzují pravidlo) vypadají mnohem hůř než normálně! A předsvatební přípravy bývají někdy tak dramatické, že k svatbě samotné pak už nikdy nedojde!

Důležitou fází je při svatbě předávání prstýnků. Diana měla samozřejmě briliantový prsten a Charles měl prsten, jak je u rodu Windsorů zvykem, na malíčku. Můj kamarád má tak obrovské ruce, že mu všechny prstýnky byly taky jen na malíček. Protože ale není z rodu Windsorů, tak mu to připadalo blbé a nechali si s nevěstou prstýnky udělat. Kamarád šel den před obřadem ke klenotníkovi prstýnky vyzvednout. Zkusil si hned ten svůj a pak ho zaboha nemohl sundat. Klenotník mu mydlil prsteníček, rval mu prsten dolů i s prstem, potil se námahou, ale... nic! Kamarád pak rezignovaně řekl: *„Tak se na to vykašlete, to je dobrý, já si ho už nechám!"*

Další můj velmi dobrý přítel měl skromnou svatbu. Jen pár hostů, svědci, nevěsta. Už sedm let spolu žili v jednom bytě, nešlo o žádnou romantiku. Nevěsta věděla, že její vyvolený je nesmírně roztržitý, přesto mu dala prstýnky na starost. Když se oddávající ve svém projevu blížil k větě: *„Vyměňte si prsteny"*, tak se na mého kamaráda nevěsta zděšeně podívala a v očích jí zasvítil otazník: *„Máš je?!"* A můj kamarád si v tu chvíli uvědomil, že prstýnky nechal na svém psacím stole. A protože můj přítel je (a byl) cholerik, a protože je cholerik, který přímo nenávidí, když ho někdo upozorní, že udělal chybu, tak se přestal ovládat a z nervozity, ze vzteku na sebe sama a z napětí vůbec na celou svatební síň na nevěstu zařval: *„Drž hubu, nebo tě zabiju!"*

Žijí spolu šťastně. Má další rada, jak přežít svatbu, proto zní:

NELPĚTE NA DETAILECH!

Jiný můj kamarád si měl brát svou snoubenku, když už byla v osmém měsíci těhotenství. Kamarád ale onemocněl a měl čtyřicítku horečku. Příbuzní byli neoblomní. K svatbě musí dojít! A tak ženicha prakticky v bezvědomí přitáhli na obřad. Všechno proběhlo jakž takž, když ale poslanec vyzval novomanžele k polibku, tak se ženich k ničemu neměl. Důležitý je fakt, že měl nejen horečku, ale taky měřil skoro dva metry a nevěsta měla jen metr padesát. Tiskla se k němu, šplhala po něm, vyskakovala, nic. Ženich nezabíral. A když to celé trvalo nějak dlouho, tak ženich s krůpějemi potu zoufale, hlasitě a bez polibku (!) vydechl: *„Ale já už bych si fakt leh!"*

Můj bratranec při svatebním polibku nevěstě roztrhl závoj, vyrval z vlasů sponu a strhl jí příčesek. A když svou skalpovanou dceru uviděl bratrancův tchán, tak slastně vzdychl: *„Říkal jsem, že je to blbec!"*

Princezna Diana měla na svatební hostině tři tisíce hostů. Ona sama si mohla pozvat sto padesát kamarádů a prý to byly samé holky. Výběr svatebčanů je pro každou svatbu nesmírně důležitý. Tak důležitý, že mám další radu.

Abyste přežili svou svatbu, tak...

NA SVATBU NIKDY NEZVĚTE SVÉ MILENCE!

Můj muž si na oslavu pozval dívku, kterou kvůli mně opustil. Chodil s ní čtyři roky a se mnou jen dva měsíce. Jeho bývalá dívka ani na svatební hostině nemohla uvěřit, co se stalo, a když se opila, tak začala plakat, kvílet a strašně na mého muže křičela: *„Tys mě zradil! Tys mě zradil!"* A pak na mě ukázala prstem a řvala: *„Ale vona ti to vrátí! Vona ti to vrátí!!!"* No... dělám, co můžu...

Jeden můj kamarád těsně před svou svatbou zjistil, že jeho vyvolená má poměr s jeho kamarádem, kterého si shodou okolností vybral za svědka. Kamarád neřekl nic. Obřad proběhl. Pak byla oslava. Pak se hodně pilo. Pak byly proslovy. Mluvil otec nevěsty, matka ženicha, svědci a pak si vzal slovo novomanžel a doslova řekl: *„Děkuji zejména svému příteli – svému svědkovi Jiřímu, že mi ještě před svatbou obětavě vyzkoušel mou budoucí ženu. Jsem šťasten, že se tak náročného úkolu ujal, že s mou novomanželkou poctivě trénoval třikrát týdně a že já teď mohu klidně převzít tuhle už dobře zajetou mašinu, u které je jisté, že dnes v noci nebude žádné dřevo!"* Samozřejmě že to byl skandál. A samozřejmě že ke „konzumaci" manželství vůbec nedošlo.

Má svatební hostina byla dost kuriózní. Byla v hospodě. Nebyla to ani čtvrtá cenovka. To byla tak šestá. Bylo to v Senohrabech a v podstatě na louce. Nebyly tam žádné záchody. Hospoda patřila starému pánovi. Lidovému člověku. Ten to zařídil tak, že vlevo – na kopřivy – si chodili odskočit muži a vpravo – galantně na křen – chodily ženy. Na svatební hostině jsem od hostinského dostala dárek. Byl taky vpravo. Byl to kýbl! A na něm byl nápis: WC pro nevěstu!

Ještě drastičtější dárek dostal jeden ženich od svých kamarádů. Ženich byl totiž zapřisáhlý starý mládenec. Podezřele zapřisáhlý. Když mu bylo přes čtyřicet, rozhodl se náhle k svatbě. Nevěsta nebyla sice moc hezká, ale zato bohatá. Restituentka. Restituentka ze zahraničí. Kamarádi ženicha chtěli být originální. Objevili, že ženich velice často navštěvuje jeden striptýzový klub. Zavolali tam a objednali na jeho svatební oslavu striptýz. Řekli, že je to pro Roberta Halamu a že by byli rádi, kdyby ten striptýz byl přesně ten, který má Robert v klubu, kde je pravidelným hostem (velmi častým), nejradši! Jo. Pak před hotelem se svatbou zastavila limuzína, vyšla dáma, která v klubu všechno organizovala, otevřela zadní dveře auta a kamarádům řekla: *„Bude to přesně tak, jak to má pan Halama rád."* A jeden kamarád ztratil nervy a zeptal se: *„Ale nebude moc drahá?"* A bordeldáma jen tak přezíravě koukla, víc otevřela dveře, aby bylo na účinkující vidět, a řekla: *„Ale vůbec ne! On (!!!) to dělá pro Roberta zadarmo!"*

Má svatební noc probíhala ve stodole. Kolektivně s osmi kamarády manžela. Pak jsme ale měli tzv. druhou svatební noc. To už jsme byli sami a u tchánů v bytě. Byla jsem tam poprvé a přišla jsem tam se svým mužem až v noci. Potmě, diskrétně. Ráno jsem se za rozbřesku vzbudila, protože mi někdo naléhavě říkal: *„Já jsem Pepík. Pepík Pawlowski. Já jsem odsud. Odsud z Holešovic."* „Těší mě," řekla jsem plaše. Hlas byl ale ještě naléhavější: *„Já jsem odsud! Ohradní ulice číslo tři. Já jsem Pepík!"* Hystericky jsem zatřásla mužem. *„Někdo tu je!"* šeptala jsem. Byl. Byl to tchánův zelený papoušek, rafinovaně přikrytý závěsem v kleci na knihovně.

Nikdy nezapomenu na svatbu, kterou popsal spisovatel Fulghum. Tehdy měl oddávat dceru velmi zámožné dámy, která se do svatby svého dítěte nesmírně položila. Měl to být velkolepý obřad s velkolepou hostinou. Natáčet ho měly čtyři kamery. Hostů bylo přes tisíc, vydaných peněz přes milion, šaty od Diora, lahůdky francouzské kuchyně, šest družiček, tisíc pět set růží a kila pomněnek. Živí zpěváci, velký orchestr.

Pak sláva začala. Hudba hrála. Ženich přišel s matkou, svatebčané seděli v kostelních lavicích. Maminka nevěsty zářila radostným očekáváním. Pak vstoupil do kostela nevěstin otec. Nevěsta se ho držela v podpaží. Nikdo se nedíval na její nádherné roucho. Všichni civěli na její obličej. Nebyl bílý. Byl zelený. Nevěsta – předtím si z nervozity zobla krevet v sýrovém těstíčku, párečků se slaninou, peprmintových bonbonů, švestek v rumu, jednohubek se sardelkou, artyčoku v omáčce, višní v griotce a tatínek jí na uklidněnou dal krapet růžového šampaňského – šla – spíš se vlastně potácela – uličkou a pak začala zvracet. Ne decentně ublinkávat, jak by se slušelo na dámu. Zvracet! Krevety, višně, šampus, buřtíky. Nevěsta se doslova poblila! Zasáhlo to družičky, tchána, ženicha, budoucí tchyni, ženichova bratra a pastora. Pak to v kostele vypadalo jako u Waterloo. Družičky pištěly, matka nevěsty omdlela, ženich ztratil síly, takže se prostě posadil na zem, slabší žaludky utíkaly ven a hudba, nic netušíc, důstojně hrála. Nevěsta se doslova ztratila v bezvědomí a silnější nátury řvaly smíchy venku ve stanu a konzumovaly to, co mělo přijít na řadu svátečněji a později.

Tenhle příběh skončil happy endem. Nevěstu očistili. Matku nevěsty probrali a její manžel i maminka ženicha dokázali potlačit svůj nadšený, vítězný úsměv. (To utrpení, co museli díky nevěstině matce při přípravách přežít!) Nikdo jiný totiž nemůže tak jistě říct, že na tuhle svatbu nikdy nezapomene! Nikdy nebylo jasnější, že právě tenhle pár je do příštího života připraven na nejhorší. Nikdy žádný ženich nelíbal svou nevěstu vroucněji. A z toho proto vyplývá i má poslední rada:

**KDYŽ UŽ SVATBA,
TAK SI VŽDYCKY VEZMĚTE JEN TOHO,
S KÝM SE MÁTE OPRAVDU RÁDI!**

Jak přežít
manželství

Existují zvířata, která si raději ukousnou vlastní nohu, než aby zůstala v pasti.
Existují lidé, kteří to chápou!
Manželství často vznikne proto, že se lidé berou z lásky. Berou se proto, že spolu chtějí legálně kdykoliv spát. Problém pak je v tom, že muž i žena mají často úplně jiné představy o slově **kdykoliv**.
Má kamarádka má velmi náruživého manžela. Kamarádka tvrdí, že je urvaná z toho, jak vychovává dítě a tahá domů minerálky, a páníček pak přijde, zkontroluje, jak se otáčí kolem plotny, olízne se a vrhne se na ni. Přítelkyně má už z manžela fobii. Zamyká se v koupelně, obchází ho metrovým obloukem, a když se chce převléknout, tak to dělá tajně, aby její muž nezahlédl ani kousek jejího obnaženého těla. Kamarádka taky pozorně sleduje televizní program. Když zjistí, že ten den dávají akční film, tak se pět minut před jeho začátkem na manžela milostně usměje, přitu-

lí se k němu a řekne: *„Pojď!"* A... manžel dá
přednost filmu! Přítelkyně tím nejen získá
volný večer, ale má vyhráno ještě další den.
Když se k ní totiž muž chtivě přitočí, tak se
uraženě odvrátí a řekne: *„Včera jsi nechtěl."*

Mám ovšem ještě jinou kamarádku, ta
má zase opačný problém. Když si manžela bra-
la, tak jeden z důležitých momentů jejího roz-
hodnutí byl, že manžel byl velmi eroticky vyla-
děný. Chtěl ji a chtěl a chtěl. Po sedmi letech
manželství si uvědomila, že ji manžel chce jed-
nou za rok. Došlo jí, že asi není v pořádku, že jí
vždycky řekne: *„Dneska jsem měl poradu."*
„Dneska mě bolí sval." *„Dneska ne, vždyť v so-
botu přijede tvoje matka."* Přítelkyně se roz-
hodla problém řešit v manželské poradně.
Manžel tam kupodivu šel a vyšlo najevo, že že-
na ho nevzrušuje proto, že v sobě potlačuje
ženství a nedokáže naplno žít! Psycholog i ka-
marádka chtěli vědět, co to znamená, že by mě-
la naplno žít. A manžel řekl, že to by znamena-
lo, že by se měla například věnovat potápění
a občas si vzít batoh a jen tak se sebrat a ně-
kam jít. Psycholog i přítelkyně namítli, že mat-
ka dvou dětí se těžko může jen tak sebrat a ně-
kam jít. Manžel pokrčil rameny a řekl, že by te-
dy měla nosit aspoň jiné prádlo. V tom oka-
mžiku ovšem manželce došlo, že sekretářka
jejího muže je svobodná, chtivá slečna, že čas-
to nosí na zádech batoh a že se věnuje spor-
tovnímu potápění. *„Jaký prádlo máš na mys-
li?!"* zeptala se řezavě. A manžel řekl nevinně:
„Prostě nějaký jiný! V tom bílým se nemůžeš

líbit nikomu!" A kamarádka se přestala ovládat a vyvřískla: *„Náhodou můžu! Tvůj šéf Mareš je z toho mýho bílýho prádla úplně odvázanej!"*

V jedné zoo se průvodce zastavil před výběhem se pštrosy a řekl: *„Pštros se vyznačuje dvěma zvláštnostmi. Velmi špatně vidí a zhltne cokoliv."* A do ticha jedna z přítomných dam vzdychla: *„Sakra! To by byl ideální manžel!"*

Takže má první rada zní:

POŘIĎTE SI PŠTROSA!

Já se s manželem nemohu dohodnout na teplotě. Když je jemu normálně, mám rýmu a kýchám. Když je mně normálně, muž se perlí potem a sípe. Když přijdu domů, tak se okamžitě vrhám ke knoflíku u topení a dávám ho z osmnácti stupňů na třiadvacet. Když vím, že muž nebude pár dní doma, lebedím si při pětadvaceti stupních. Když natáčím „Rybičky" v Brně a vracím se, tak je u nás taková zima, že mi jde v ložnici pára od úst. Tenhle problém je u nás zřejmě dědičný, protože můj syn celou zimu chodil v kraťasech, a když jsme se naší dcery ptali, co by si přála k osmnáctinám, tak jsem se málem dojetím rozplakala, protože dcera řekla: *„Svoje vlastní kamna!"*

Má další rada pro přežití manželství zní:

SROVNEJTE SI TERMOREGULACI!

Nedávno má přítelkyně přišla pozdě na nějaký večírek, a když se tam objevila, tak vypadala dost zdevastovaně. Měla pokousaný krk a rozedřené ruce. (U nich v rodině se vůbec dost kouše a drápe.) Ptala jsem se jí, co se stalo, a ona řekla, že jí manžel řekl, že život s ní nemá cenu a že končí. A že se mu v tom snažila zabránit. Nejdřív fyzicky. Ale protože byl silnější, tak přešla v pláč a chtěla vědět, co dělá špatně. A manžel pořád řval: *„Nedá se to s tebou vydržet! Jsi mi odporná! Jsi hnusná!"* A protože si balil tašky a ona se opravdu bála, že o manžela přijde, tak podlézavě žadonila: *„A co je tedy moje největší konkrétní chyba?"* A manžel zařval: *„Strašně solíš!"* A práskl dveřmi. (Přítelkyně pro jistotu už nesolí vůbec a manžel se odstěhoval do Znojma.)

Asi čtyřicet procent manželských hádek mají na svědomí děti, vlastně spory o jejich výchovu. Čtyřiačtyřicet procent manželských scén vzniká kvůli penězům. Z toho logicky vyplývá logický závěr: Bez dětí se dá žít. Bez peněz ne!

A má rada do manželství zní:

SCHOVEJTE SI PRACHY!

To mi připomnělo další kamarádku. Ta se s mužem často hádá, že je bohatší a že vydělává víc než on. Hádky vyvolává manžel a manželce vyčítá, že si ho koupila, ale on že se koupit nenechá! A že ji – povrchní a lpící na majetku – nechá! Když tuhle vztekle balil svoje věci do kufrů a řval: *„Tak já si vezmu svejch pět švestek a táhnu!"*, tak manželka zařvala:

„Švestky si vem, ale ty kufry zůstanou tady! Ty kufry jsou totiž taky moje!"

Svatební smlouvy se uzavíraly v historii, uzavírají se v Americe a měly by se co nejdřív uzavírat i u nás. Pravda je, že jsem tuhle četla jednu dost kuriózní smlouvu, ve které bylo zakotveno, že manželé – brali se, když jí bylo čtyřicet a jemu padesát, budou mít děti, anebo zvíře. Nikdy ne obojí. Pak se stalo, že zvolili děti. Narodily se jim dvě dcery, a když chodily do školky, tak maminka-manželka organizovala dražbu, na které se mezi vším ostatním dražilo i štěně z útulku, a ona úplně propadla zoufalství, vrhla se na manžela a volala: „To štěně chce mě! Věří mi! Beze mě umře!" A pak všichni sledovali manžela a ten cítil povinnost štěně pro manželku vydražit, a všichni schválně přihazovali sumy a on nakonec zvířátko dostal za dva a půl tisíce dolarů. Ze štěňátka vyrostla obluda, mohla by utáhnout pluh a venčit ho chodil výhradně právě jen manžel, protože jedině on tu bestii zvládl. Venčil zvíře tajně, protože se styděl a pořád měl na tváři takový ten nevěřící výraz: „Jak se tohle právě mně mohlo stát?! Vždyť jsem to měl písemně!"

Claudia Cardinalová nadávala na muže a řekla: „Pořád aby člověk vypadal jako krasavice z titulní stránky časopisu, ale mít na sobě stříbrné šaty bez podprsenky a mejt záchod, to prostě nejde!"

Tuhle jsem slyšela vtip: Manželka má pocit, že manžela už nepřitahuje. Chce se přesvědčit. A tak si nasadí plynovou masku. A manžel přijde domů a... nic. Sní večeři, kouká na televizi, jde si lehnout. Manželka to nevydrží a řekne: *„Ty, Vašku, nevšim sis na mně něčeho?"* A muž se na ženu pozorně zadívá a za chvilku řekne: *„Ty, Božka, že ty sis nechala upravit obočí?!"*

Já jsem tuhle propadla depresi, že mám Alzheimerovu chorobu. Naříkala jsem své přítelkyni a ona mne uklidňovala: *„Ale ne, nemáš Alzheimera, to, jak jsi zapomněla přijít na to natáčení, bylo vlastně tvoje podprahové jednání. Tys tam totiž ve skutečnosti vůbec nechtěla jít!"* *„A jak jsem někde nechala přihlášku pro syna na tábor?!"* naříkala jsem a Dáša tvrdila: *„Tys prostě měla strach, aby se mu na tom táboře něco nestalo."* *„No a jak jsem tuhle přišla v noci s mým kolegou domů a v naší ložnici někdo byl a mně až za chvíli došlo, že to je můj manžel? To tedy znamená, že ho podprahově už vůbec nemám ráda...?"* A má přítelkyně se na okamžik odmlčela a pak chmurně řekla: *„Ne. To znamená, že máš doopravdy sklerózu!"*

Má další rada zní:

INFORMUJTE KAMARÁDY!

Jedno období mého manželství bylo dost krušné. Můj muž měl pocit, že se ve svazku se mnou dusí, a odcházel hledat sám sebe. V hledání mu pomáhala taková mladá sportovkyně. Vždycky když se muž z hledání sama sebe přišel najíst a vykoupat, tak jsme to řešili. Když jsem ho chtěla probodnout, tak tam byla moje přítelkyně Jana, a protože tam byla taky Zuzana a Milan, tak se jim podařilo mi nůž vytrhnout. Pak po mně manžel hodil láhev (litrovku vína), jindy jsem po něm mrštila křišťálovou vázu, on zas vyhodil televizi z okna. (Měli jsme ji na ještě nesplacenou novomanželskou půjčku.) Pak jsem jednou v noci volala Janě a brečela jsem do telefonu: *„Jano, prosím tě, přijeď sem! Přijeď!"* A Jana přijela. I s manželem. A měli velký, srolovaný koberec. A hned jak vešli do předsíně, řekli: *„Kde ho máš?"*

Mí přátelé byli tehdy naprosto přesvědčeni, že jsem svého manžela zavraždila, a byli rozhodnuti mrtvolu zabalit do peršanu a nenápadně vyhodit někde na skládce.

Nesmírně cenná rada pro manželství je:

NEMYSLETE!

Tato rada se týká zejména těch, kteří spolu už v manželství nějaký čas vydrželi. Mimochodem, už vůbec není moderní ohánět se tím, že právě vy máte v partnerském výběru štěstí. Není „in" říkat: *„Můj manžel je jiný – lepší."* Daleko prozíravější je říkat větu: *„Můj muž si dělá, co chce, protože mně to je jedno!"*

Nemyslete na to, kde, **s kým** a proč byl váš druh, nemyslete na to, jestli **ON** je ten pravý, myslete pouze na to, aby **vám** (jen vám!) bylo dobře. A k tomu poslouží nový parfém, nové šaty, nová práce a... nový partner!

Myslím, že člověk může být tolerantní tehdy, když je se svým partnerem přes dvacet let, když si je jist, že partner sice šílí po útlém pasu své asistentky, ale za svůj gauč a vaši svíčkovou by ji nevyměnil, a vůbec nejlepší způsob tolerance je, když jste tak velkorysé proto, že máte své vlastní, mimomanželské, intimní zájmy.

Má kamarádka je vdaná sedmadvacet let a její manžel je právě v tom obtížném období, kdy má dost peněz a ještě si není jistý, jestli už poznal v životě opravdu všechno. Tenhle manžel měl najednou v noci strašné bolesti. Manželka ho nechala sanitkou odvézt do nemocnice a tam jí řekli, že má ledvinovou koliku, a manželka šla domů a pak jí to nedalo a zavolala do nemocnice, aby se znovu zeptala, jak se manželovi daří, a dozvěděla se, že dostal injekci, udělalo se mu lépe a šel domů. Ale manžel domů nedošel. Došel až ráno. Byl v obličeji šedý, měl pod očima kruhy a na límečku od košile měl rtěnku. Hned se zhroutil do postele: *„Tak si mě tam nechali až do teď."* A manželka mu jen trošku falešně soucítícím hlasem řekla: *„No, to sis určitě užil."*

Mí rodiče jsou spolu už šedesát let. Čtyřicet let se od sebe neodloučili. Mí rodiče se, myslím, mají dost rádi. Když ale moje maminka něco říká, tak můj otec často mávne rukou a řekne: *„Ticho buď!"*

Mí příbuzní slavili dokonce sedmdesátileté výročí svatby! Bylo to úžasné. Všichni se ptali devadesátileté jubilantky na tajemství jejího manželského štěstí.

Odpověděla: *„V případě konfliktu se nesmí člověk rozzlobit. Stačí se jít projít a vrátit se, až se člověk uklidní."* Pak se jí ptali, kde je její manžel. Řekla: *„Šel se projít. On hodně chodí ven."*

Má poslední manželská rada je tedy prostá:

KDYŽ BUDETE MÍT POCIT, ŽE SE V MANŽELSTVÍ NEDÁ ŽÍT, ROZCHOĎTE TO!

P. S.: Jo! A manželství není loterie. V loterii se totiž někdy vyhrát dá.

Jak přežít
nevěru

Jaký je můj názor na nevěru? Můj názor zní: Já ano. On ne!

Zkrátka: Existují nevěry dvě. Ta **naše** – nevěra malá, milá, pochopitelná! **A Nevěra Jejich** – obrovská, hnusná, neodpustitelná! A abychom tu JEJICH odpornou, podlou zradu přežily, musíme si zformulovat pár důležitých rad.

První rada je:

POUŽIJTE LAXATIVUM!

Co je to laxativum? Vysvětlím. Má kamarádka měla svatbu. Za svědkyni jí šla kamarádka Marie. Novomanžel mé kamarádky byl tak šťastný, že mu má kamarádka po sedmi letech obléhání konečně řekla ANO, že se opil a pak (výhradně jen ze samého štěstí) se pomiloval se svědkyní novomanželky Marií. Nevěsta se pokusila podřezat si (nožem na dort!) žíly, pak chtěla ženicha setnout kosou a pak se rozvedla. Svědkyně Marie přišla během té svatby (s novomanželem!) do jiného stavu, a když pak měla (s bývalým manželem své bývalé nejlepší kamarádky) svatbu, tak si všimla, že jejímu muži po všech těch rozvodových a svatebních anabázích planou oči štěstím tak, že se nedá zvládnout. Nevěsta Marie proto okamžitě vlétla do lékárničky, našla lahvičku a svému novomanželovi vlila do šampaňského projímadlo – LAXATIVUM! Manžel sice šťastně dál tančil, šťastně dál koketoval s každou druhou, ale pak se svým štěstím bezpečně skončil v útulné koupelně.

A vždycky když se teď někam chystá, když je extrémně (a proto nebezpečně) šťastný, třeba že ho povýšili, že syna vzali na školu, že zhubl nebo že má nový kabát, tak Marie běží do lékárny, lije laxativum do černého piva, které má její muž nejradši, a pak vesele říká: *„Mám moc hezké manželství. A to by Maryša říct nemohla!"*

Nejzákladnější pravdy o nevěře jsou tyto: Chceš-li držet věrného muže v náručí, je nejjistější si ho tam nechat vytetovat. Uvolníš-li muži pouta, připoutá jimi jinou ženu. Ženy, které si myslí, že je jejich manžel chudák, jsou vdovy.

Nevěrný byl král Jindřich VIII., kvůli nevěře dokonce založil novou církev. Nevěrný byl Stalin a jeho žena se zastřelila. Nevěrný byl Lenin a žil dohromady s Krupskou a svou francouzskou milenkou. Nevěrný byl Bill Clinton a teď se prý bojí z Bílého domu telefonovat. Nevěrný byl Zeus! Bůh! A proto jsou zřejmě nevěrní všichni muži světa!

A všichni tihle nevěrníci byli nevěrní proto, že jejich manželky dopustily, aby jim v bytě nepraskla voda! Nechápete?! Pochopíte.

Má další rada totiž zní:

ROZKOPEJTE DOMA TRUBKY!

Ano. Je to úplně jednoduché. I kdyby byla milenka sebekrásnější, situace nejvášnivější a váš muž nejzamilovanější, přiřítí se domů hned, jakmile zjistí, že má doma vodovodní havárii. Že mu na jeho tapety (na stěny je dával on sám celý měsíc) chrstá voda! Že hrozí, že se mu rozlepí jeho model dvojplošníku a taky že určitě vezme za své peršan, jediný vzácný kousek, který si od babičky přinesl do manželství.

Jedna známá chtěla muže tak přitáhnout k domovu, že ho dokonce přivazovala řetězem k noze od stolu. Pouštěla ho ven jen jednou týdně – a to do sklepa pro uhlí! Pak se zjistilo, že manžel jí byl nevěrný dva roky. Každý týden! Se sousedkou – ve sklepě – na uhlí!

Nová rada, jak přežít nevěru, zní:

MĚJTE SRDEČNÍ ARYTMII!

Proč? Protože vášeň vašeho muže k nové (hezčí, mladší, lehčí) partnerce může dokonale ztlumit vaše věta: *„Je mi jedno, kde*

jsi a kdy se vrátíš, ale hrozně mi buší srdce,
a kdybych náhodou zemřela, odveď, prosím
tě, Danušku do školky."

Nevěrní manželé většinou pohasnou
ve svém milostném vzplanutí, když zjistí, že
jejich manželka (už ji sice nemilují, ale nějaký
ten vztah k ní, když spolu žijí tak dlouho, pře-
ce jen mají) je ohrožena vážnou chorobou.
A chytrá manželka je proto vážnou chorobou
ohrožena pořád! Zvlášť tehdy, když její muž
chce změnit svou dosavadní image.

Viagru chce vyzkoušet každý muž.
A když každý, tak i náš (váš!). Je proto ne-
zbytné okamžitě (Viagra je v prodeji!) učinit
opatření. A to opatření je naše další rada:

SKAMARAĎTE SE S KARDIOLOŽKOU!

Proč? Protože vaše kardioložka vaše-
mu muži řekne, že ON Viagru používat nemů-
že. Jeho srdce už totiž nebuší tak pravidelně
jako zamlada! Taky má oslabený organismus,
a pár let života na téhle zemi mu může lékař-
ka zaručit jen tehdy, když bude váš muž jen
s vámi doma provozovat normální, zdravý
sex!

A když bude váš manžel provozovat
sex zvlášť zdravý a opatrný, tak může kardio-
ložka od svého známého sexuologa opatřit
Viagru, až budete slavit narozeniny. Vaše na-
rozeniny! A pak Viagru dáte svému muži
a řeknete mu, že je to vitamin na posílení imu-
nity. A pak si (možná) užijete!

Můj tatínek nesmírně dbá na HRDOST. Stále na ni myslí. (Jeho hrdinkou je Stuartovna!) Občas třeba telefonuju – s kamarádkou, říkáme si ty nesmírně důležité věty jako: *„Už sis koupila ten lak na nehty?"*, anebo: *„Má tvůj Péťa pořád ten ekzém?"*, anebo: *„Potřebuju nové boty!"*, a můj otec jde okolo, zatne pěst a zařve: *„Hrdá! Hrdá buď!"*

Má pátá rada v kontrastu s tím zní:

STAŇTE SE CITOVOU VYDĚRAČKOU!

Všechny psychologické příručky radí, aby ženy v momentě, kdy zjistí, že svého milého neochránily před spáry nevěry, zachovaly rozvahu, vyčkaly moudřejšího rána a do stavu věcí rozhodně nezatahovaly děti. Opak je pravdou! Muži sice nenávidí scény, nenávidí pláč! Ale taky nenávidí své špatné svědomí a milují pocit, že bez nich se zhroutí svět. A proto ideální scénou, když chce váš muž opustit společný byt, je, když jedno dítě visí na manželově levém kotníku, druhé na pravém kotníku a vy sama se mu houpáte na krku. (Pes kňučí v pozadí.) Pak váš muž musí (prostě musí!) pochopit, že vy tři – dva drobečci a vy bezmocná, plačící, oddaná – bez něj – silného, chrabrého, jedinečného – nedokážete žít!

A kdyby váš muž měl pocit, že bez něj žít klidně můžete, a šel za svou novou láskou, tak... tak mu zchlaďte hlavu!

Ano. Situace došla tak daleko, že váš

46

partner prostě poslechl hlas svého blbého srdce. Pak už je na slzy, prosby a výčitky pozdě. Pak nastal čas na pomstu!

Má šestá rada zní zvláštně:

KUPTE SI DVACET PĚT MAKREL!

Jedna moje kamarádka žije ve Filadelfii. Její přítelkyně se už měla vdávat, když zjistila, že její milý má ještě jednu přítelkyni, a že tu si chce vzít ještě dřív než ji. Přítel kamarádku požádal, aby se odstěhovala z jeho bytu. Udělala to. Ale než to udělala, tak koupila pětadvacet syrových makrel a nacpala je do konzoly na záclony. Pak každý den z bytu kamarádky o dva domy dál pozorovala dalekohledem, jak si k jejímu bývalému nová milenka stěhuje své věci. Za týden dalekohledem viděla, jak se dvojice hádá, pak viděla, jak si milenka ustýlá v jiném pokoji, pak viděla, jak její bývalý nechává všechny pokoje nově tapetovat. Pak viděla, jak milenka odmítá překročit práh jejich bytu, a pak viděla, jak nakládá všechen svůj majetek do stěhovacího vozu. Nejveselejší se kamarádce zdálo, když zahlédla, jak stěhováci nahoru – na všechny ty krámy – opatrně kladou konzoly na záclony.

Já si myslím, že nevěru lze odpustit, když sice byla plánována, ale když k ní nedošlo.

Váš nevěrný manžel například zjistí, že jeho nová přítelkyně neumí svíčkovou, že jeho budoucí nová tchyně si myslí, že by měl jíst sójové boby, že záchodové prkénko u milenky není tak příjemně vysezené jako u vás doma, a tak... se k vám vrátí zpátky! A co vy? Co při téhle příležitosti radí znalkyně mužů, jedna z nejvýhodnějších partií dneška, Elizabeth Taylorová? Říká, a to je má sedmá rada:

VYBERTE SI BRILIANTY!

Elizabeth Taylorová je přesvědčena, že za nevěru se má platit. Nejlépe šperkem. Takže... až se váš muž vrátí, nasaďte si náušnice do uší, náhrdelník si připněte na krk, řekněte tomu svému, že mu odpouštíte, ale že teď je konečně ta pravá doba, abyste do světa vyrazila vy! A protože váš nevěrník bude nevěrným stále, tak to taky opravdu udělejte!

Když rozhodně nechcete, aby váš partner pocítil ten zvláštní tlak, že by měl mít nové zážitky s nějakým novým tělem, tak se pokuste najít místo, kde nebude nikdo jiný než ON a vy!

A proto má osmá rada zní:

VEZMĚTE SI STRÁŽCE MAJÁKU!

Na zapomenutém mysu vás snad nevěra nezaskočí, i když... Vzpomněla jsem si na vtip: Leží lékař vedle milované bytosti a má výčitky. Jeho vnitřní hlas ho uklidňuje: *„Relaxuj! Nejsi první doktor, co spí se svou pacientkou."* Druhý vnitřní hlas na to ale řekne: *„No jo, jenže ty jsi veterinář!"*

Každá nevěra něco znamená, tak nám nezbývá, než abych vám řekla radu devátou. Vychází z pravdy, že nevěra může potkat kohokoliv a že jediné východisko, aby vám tolik nevadila, je:

BUĎTE RYCHLEJŠÍ!

Jakmile máte manžela, okamžitě si pořiďte milence!

Ještě jsem vám neřekla, že nevěrných je u nás osmdesát šest procent ženatých mužů a jen dvacet čtyři procent vdaných žen. A právě těch dvacet čtyři procent přiznání nevěrných žen je důkazem, že měl pravdu spisovatel Remarque, když řekl: *„Všechny ženy lžou, a ty, které ne, nestojí za nic!"* (S kým by přece byli všichni ti muži nevěrní, ne?!)

A protože evidentně nejlepší je o nevěrách nic nevědět, tak (a to je má rada poslední):

NAUČTE HO LHÁT TAK DOBŘE, JAKO LŽETE VY!

Mimochodem, v jedné kanadské zoo dělali pokusy, při kterých se dokázalo, že samci jsou prostě od přírody víc promiskuitní. Pokus se prováděl v gorilí kleci. K samci dali samici a sledovali samcovu sexuální chuť. Nejdřív chtěl gorilák gorilu hodně, pak míň a pak ještě míň. A pak samici vyměnili za novou samici a gorilák chtěl zase moc. Díky pokusu výzkumníci dospěli k závěru, že muži mají na změnu partnerek genetický nárok. Já jsem díky tomuto pokusu dospěla k závěru, že... výzkumníci byli muži! Protože – proč vlastně v kleci vyměnili samici? Proč nepřidali nového samce?

P. S.: Nejvěrnější v říši zvířat jsou sluky lesní, takže... nejezte sluky a slukám lesním zdar!

P. S.: A ještě něco. Matka Murphyová řekla: „*Ctnost je sama o sobě odměnou. Můžete ji obdivovat doma, o samotě, v sobotu večer.*"

Jak přežít
rozvod

Soudce se ptá ženy: *„Proč jste se v noci vplížila do ložnice a zastřelila svého manžela lukem?"* A žena odpoví: *„Pane předsedo, já jsem nechtěla vzbudit děti."*

Rozvádí se každé třetí manželství. V osmdesáti procentech ženy opouštějí muže. V sedmdesáti procentech je opouštějí proto, že během pětadvaceti let manželství přežily manželovu aféru s Vlastou, s Janou, s Petrou, s Ilonou a teď je jim pětačtyřicet a na Lucinku nemají nervy.

Na problém rozvodu se budu (většinou) dívat z pohledu ženy. Za prvé proto, že mi to jde líp, a za druhé proto, že muži rozvod nejčastěji přežijí tak, že se hned nastěhují k nové partnerce, za rok s ní mají nové dítě a až do smrti na svou bývalou ženu nezapomenou.

Většina žen chce po rozvodu spáchat sebevraždu, plánuje pomstu, jede do odtučňovacích lázní, svede spolužáka svého syna, koupí si šaty tak krátké, jaké nikdy neměla, pochopí, že dvacet pět let po boku manžela nic neznamenalo, a má se až do smrti docela dobře!

Každý rozvod přináší několik traumatických momentů. Jeden z těch nejhorších jsou – děti!

Mou kamarádku Hanku její muž Josef podváděl s Irenou. Byl do Ireny tak zamilovaný, že se přestal snažit a lhal tak ledabyle, že Hanka musela jednat. Rok střídavě na Josefa řvala, plakala a sekerou rozbíjela společný majetek. Taky si počíhala na Irenu a chtěla ji shodit pod vlak metra. Pak její kluci – sedmnáctiletá dvojčata – slavili narozeniny, a když se jich Hanka ptala, co by k nim chtěli, tak řekli: *„Aby byl klid."* A Hanka, aby byl klid, odvezla chlapečky na chatu, kde její exmanžel Josef trávil víkend se zamilovanou Irenou. Pak šla Hanka do kina, pak byla ve vinárně se spolužákem z gymplu, pak ležela před televizí a pak si poprvé po několika desetiletích dokázala pěkně nalakovat nehty na nohou, protože nemusela synům hledat ponožky, mazat chleba a brát jejich telefony. Za týden Hanka situaci opakovala. Dokonce ji zdokonalila. Chlapcům s sebou nedala čistá trička a taky jim doporučila, aby vzali tatínka do obchodu a aby jim tam koupil nové tenisky. Pak se z toho vyvinul zvyk. Kluci jezdili na chatu skoro pořád a pak to tam Hanka jela zkontrolovat. Přijela do Posázaví taxíkem, měla na sobě model od firmy Escada, na hlavě nový, velmi mladistvý účes a upřímnou radost, že si její synové s manželovou Irenou tak rozumějí. Manželova Irena na chalupě stála sedmnáct hodin u sporáku a právě vyráběla dvojčatům mimořádně tenké palačinky. Pak udělala kávu Hance, palačinky jí postříkala šlehačkou a musela přitakat, že je opravdu správné, že Hanka na chatu přivezla všechny špinavé hadry Josefových synů, když jí doma nefunguje její stará pračka. Hanka své víkendové návštěvy často opakovala. Příroda se jí na chatě líbila, chlapci byli šťastni u otce a ona noblesně odsouhlasila, že je Irena mladší, a že je proto jen logické, že jí podává kávu, peče pro ni závin a pro kluky – Josef tolik toužil, aby se s nimi sblížila – hněte už jedenáctou šišku knedlíků.

Co z toho vyplývá? Že většina normálních dětí bere normální rozvod svých rodičů normálně. Že se z toho snaží co nejvíc vytěžit, že chtějí víc volnosti, lásky a peněz. A že pro ženu, která pochopí fakt, že si v hloubi srdce každý šťastný muž přeje vlastnit harém, je ideální... manželovi vyhovět.

Má rada tedy zní:

SPLŇTE MUŽI JEHO PŘÁNÍ!

Možná nebude litovat on, určitě ale bude litovat ta druhá.

Myslím si, že děti jsou často opravdu jediným tmelem některých manželství. Když se právě tato manželství přesto rozpadnou, mohou být děti naopak ideálním prostředkem, jak rozklížit novou, mladou lásku.

Další z traumatizujících zážitků rozvodu je majetek!

Má přítelkyně je židovka, vdávala se v synagoze a já jsem s obrovským nadšením přihlížela, jak její budoucí manžel před všemi lidmi sliboval, že ji bude až do smrti zahrnovat zlatem, chlebem a drahokamy. Že v nemoci jí poskytne největší pohodlí a že v případě rozluky svým dětem dopřeje byt, stravu i vzdělání.

V cizině jsou rozvody často velmi výhodným zaměstnáním. Velmi šikovná v něm byla Ivana Trumpová. Souhlas k rozvodu prodala draho. O bohaté nápadníky neměla nouzi, protože peníze táhnou peníze a nikdo nechce mít pocit, že si ho někdo nebere z lásky, ale pro majetek. Paní Murdochová na tom po rozvodu s magnátem taky leccos vydělala a Jerry Hallová rozvodem s rockerem Jaggerem omládla a vypadá tak spokojeně, že se zdá, že těch dvacet let po boku bouřliváka vydržela jen proto, že měla perspektivu osmdesáti milionů dolarů. Tuhle jsem četla, že jakási Brazilka Peresová dělá scény, protože s padesáti miliony dolarů, které vysoudila jako roční rentu, není schopna udržet si svůj zavedený životní standard.

V Čechách je majetková a rozvodová praxe trochu jiná. Má přítelkyně Miluška se dva roky hádala s manželem o skříň, do které jejich dcerce uklízeli botičky. Kamarád Jarda byl na mrtvici, protože manželka chtěla, aby jí pro jejich vlčáka nechal na zahradě boudu, kterou vlastnoručně stloukl a omaloval, a můj strýc se rozešel s tetou a pak s ní už nikdy nepromluvil, protože mu ukradla dva ročníky svázaných časopisů 100 + 1.

Jediná rada, jak přežít rozvod, je plánovat! Vstoupit do sebekrásnějšího svazku bez špetky sentimentu, mít podpisové právo na všechna manželova konta, mít své vlastní tajné konto, nelpět tolik na novém autu, chatě a vilce, ale v rámci rodinné tradice navyknout manžela na to, že nejlepší investicí bude, když vám k sebemenší příležitosti věnuje starožitné mince, platinu a brilianty.

Dobré taky je, když vaši rodiče budou natolik obezřetní, že svou smrt nepřenechají náhodě, ale při sebemenším tušení nemoci sepíší darovací smlouvu, která jenom vás učiní vlastníkem všech rodinných latifundií.

Když máte pocit, že svého manžela už doma nesnesete, vyberte úspory, prodejte byt, šperky uložte do banky na tajné heslo, k podpisu u rozvodu zplnomocněte svého advokáta a změňte světadíl! Paní Marie to udělala a její exmanžel občas nemá ani na cigarety, má pohled bezdomovců, už dávno nemá svou mladou milenku a všude jenom vykřikuje: *„Já jsem byl ale opravdu milionář!"* Má pravdu. Byl!

Takže moje druhá rada je:

PENÍZE NEJSOU NÁHODA!

Liz Taylorová se vdala osmkrát, Lana Turnerová taky, pět manželek měl Richard

Burton, Henry Fonda i Clark Gable. Čtyři manželky vystřídal Humprey Bogart, Charlie Chaplin a Peter Seller a „trojáci" byli Brigitte Bardotová, Jean Harlowová a Marilyn Monroe.

Kdo se nikdy nerozvedl, protože se nikdy nevdal, byla Greta Garbo. Měla si brát Johna Gilberta, ale k oltáři se prostě nedostavila. Asi chtěla být opravdu sama. Upřímně řečeno... všude se píše, že ve skutečnosti chtěla být chlapcem.

To mi připomíná, že jedna má kamarádka byla po rozvodu tak zoufalá, že si okamžitě nabrnkla mladíka a zaplatila mu pobyt na Krétě. Tam jí mladík po týdnu řekl, že to s ní není špatné, ale že má stejně pocit, že to nějak není ono. Když večer nepřišel do pokoje, tak ho začala hledat. Našla ho. V jiném pokoji. V posteli s řeckým číšníkem.

Největší chyba po rozvodu je demonstrovat, že jste úplně sama!

Jedna moje vdaná kamarádka měla spoustu nápadníků. Dva nápadníci dokonce patřili do kategorie Vážná známost. Pak se má přítelkyně rozvedla a zvesela zahlaholila: A jsem volná! A platilo to doslova, oba nápadníci (i ti ostatní) zbaběle prchli. Proč? Protože muži chtějí **zadané** ženy! Proč? Protože je úžasné vyrvat je z náručí někoho jiného, je úžasné mít jistotu, že máte tak dobrý vkus, že se vaše partnerka líbí ostatním, a vůbec nejlepší je, že si můžete být jisti, že si k vám nenastěhuje skříň, šicí stroj a dva puberťáky.

Tak co udělat, když chcete přežít rozvod? Naše rada zní:

POŘIĎTE SI ATRAPU!

Ne otrapu, ale atrapu. To znamená, že byste si měly zajistit muže, který dobře vypadá, umí se chovat a nic po vás nechce. Toho můžete okamžitě po odluce předvést svému okolí a prozradit, že teď už patříte zase jenom jemu. Po této lži pak můžete pozorně a nenápadně zmapovat terén, jestli by se tam někdo, komu byste mohla patřit, náhodou opravdu nenašel.

Atrapa se mimochodem hodí pro porozvodové trauma, které musíte prožít se společnými přáteli. Ti totiž najednou neví, jestli si mohou vás i vašeho exmanžela pozvat společně na mejdan. Nevědí, jestli vám nebude vadit, že si začali tykat s manželovou novou ženou, a tápou v nejistotě, jestli zase nebudete myslet na sebevraždu, když uvidíte, jak vypadá váš exmanžel vedle mladé krasavice vesele a svěže. I vaše nejlepší přítelkyně, když nemáte atrapu, podlehne chmurným myšlenkám, jestli vás její muž neutěšuje příliš náruživě, a protože se vám díky traumatu podařilo zhubnout a koupit si sexy tričko, tak ji napadne, že jste nezadaná, mužedychtivá sokyně a že by vás měla ze zorného pole svého manžela bezpečně odstranit. Atrapa se prostě hodí. Šéf nebude mít dojem, že jste nevýkonná, protože myslíte jen na svou tragédii, zná-

mí vás nadšeně pozvou na hory, a když vás
i vaše nejlepší kamarádka bude podezřívat,
tak si zaslouží, abyste jejímu manželovi vy-
světlila, že muž vedle vás je jen atrapa, že jste
rozervaná, zoufalá a potřebujete utěšit a že je-
diný člověk, který by vám mohl pomoci, je
právě on! A protože – a to si myslí po rozvodu
skoro všechny ženy – jsou téměř všichni muži
zločinci, tak vás manžel vaší dobré, podezří-
vavé kamarádky utěšovat bude a bude to
trvat tak dlouho, dokud mu jeho žena v zou-
falství neřekne: *„Tak jdi už konečně do..."* A on
půjde a budete ho mít doma!

Jedna moje kamarádka měla moc hez-
kou atrapu. Za její dcerou totiž přišel kamarád
a zeptal se: *„Je Iveta doma?"* A moje kama-
rádka si mladíka dobře prohlédla, usmála se
vyzývavě a s praxí o dvacet let větší, než měla
její dcera, otevřela dveře úplně dokořán a řek-
la: *„Ne. Iveta není doma. Chcete jít dál?!"*
A mladík šel a měla ho tam dva roky.

Myslím, že nejlépe se dá rozvod přežít
tak, když musíte neustále myslet na to, jak
přežít!

A proto moje poslední rada je jedno-
duchá a divná. Když jste po rozvodu a myslíte
si, že nepřežijete, tak...

JEĎTE NA NÁKLAĎÁKU
NAPŘÍČ AFRIKOU!

Pochopíte tak, že člověk dokáže přežít
úplně všechno.

Hollywoodský producent Evans řekl: „Rozvedl jsem se už čtyřikrát. Každé moje manželství začalo z velmi špatných důvodů a skončilo z velmi dobrých."

R. Burton řekl: „Jediné hádky, které jsme měli s Liz kvůli rozvodu, byly, když já jsem řekl: ‚Vezmi si všechno!' A ona řekla: ‚Ne! Vezmi si to ty!'"

Jak přežít
sex

Jednou jsem v jednom televizním pořadu řekla, že v každé pohádce láska probíhá tak, že se dva poznají, najdou spolu bod G a pak spolu šťastně žijí až do smrti. Můj muž se na televizi mimořádně díval. A dokonce – mimořádně – mne i pochválil. Pak řekl: *„Jenom jedno jsem nepochopil. Co je to ten bod G?!"*

Jo, jo. Můj život není žádná pohádka!

A – upřímně řečeno – život není pohádka pro většinu z nás. V pohádce, v literatuře i ve filmu totiž v sexu hlavní roli hraje romantika!

A já – a předpokládám že i vy – pak trpím, protože se svým vyvoleným neprožívám večeři s erotikou, splynutí v přírodě a spalující vášeň.

Většina z vás ale určitě ví, že když TO (jiný!) člověk prožívá, tak ho dotyky rozžhavují jako lávu, tak ho zaplavují vlny rozkoše a taky se s ním hýbe zem!

Většina z vás ale určitě neví, že někteří spisovatelé (jsem přesvědčena, že skoro všichni) jsou velmi duševně nemocní lidé, kteří své zklamání nad malými činy nahrazují velkými slovy.

Já sama jsem příkladem. Když mi bylo sedmnáct, tak jsem napsala báseň, a přesně si vzpomínám, že jsem tehdy v jednom verši měla:

"A Pánbůh zabušil na svůj nebeský buben a vesmír se pohnul o bilion světelných let."

V praxi to znamenalo, že jsem svého spolužáka opila pěti deci vína a on mi pak sáhl na prsa.

Má první rada, abyste přežili sex, zní:

ZAPOMEŇTE NA ROMANTIKU!

Já jsem byla poměrně dost zklamaná svou svatební nocí. Tak moc jsem toužila po romantice, že jsme spali na seně. A protože už bylo září, tak jsem se chvěla zimou a můj čerstvý manžel mne tehdy k sobě přivinul a řekl mi: *"Neboj se, já tě budu hřát!"* a vzápětí ze mne serval mou vlněnou pelerínu, pevně se do ní zavinul a odkutálel se asi dva metry stranou. Před zmrznutím mne zachránil náš svědek – vlastně Jeho svědek – tak, že mne vzal pod svůj spacák (měl ten rozepínací – do mumie bychom se nevešli), a výsledek mé svatební romantické noci byl, že jsem dostala zánět ledvinové pánvičky a můj žárlivý novomanžel se mnou tři týdny nemluvil. A namluví toho málo dodnes!

Nedávno jsem si přečetla, jak vznikl **francouzský polibek**. Francouzský polibek prý vynalezli obyvatelé jednoho malého městečka v Bretani. Jejich město bylo přelidněné, ale nikdo se nechtěl stěhovat a na stavbu nových domů nebyly peníze. Proto se rodáci s nesmírnou ochotou rozhodli obětovat a slíbili si, že se nebudou rozmnožovat. Ale aby si přece jen přišli na své, tak zdokonalili, jak si dávat pusu.

Mně dva roky milostného života vysloveně ukradla spolužačka Irena Kunovská. Byla o pět měsíců starší než já, a proto mi ve všem dávala najevo, že je chytřejší. A byla chytřejší i v sexu, a proto mi ve čtrnácti poradila, abych vždycky, když se budu s někým líbat, pevně zapřela jazyk za dolní zuby a nehnula s ním ani o píď. Přišla jsem kvůli Ireně Kunovské asi o čtyři vážné vztahy, a teprve až další přítelkyně mi poradila, abych ten jazyk zpod spodních zubů zase vytáhla.

Má další rada proto zní:

ZAPOMEŇTE NA RADY!

Neradí jen kamarádky, radí taky časopisy, knihy, odborníci. A jedna z pouček často zní: Ptejte se na partnerovy představy! Osobně si myslím, že horší rada neexistuje. Má přítelkyně Jana se dozvěděla, že partner si v sexu nepředstavuje jen ji, ale ještě jednu slečnu.

Jana má od té doby pocit, že jich je při „TOM" málo. Kamarádka Míla se dozvěděla, že manžel si při tom představuje Schifferovou. Míla se rozvedla, protože proč by měla žít s někým, kdo chce Schifferovou a nechce ji! A má přítelkyně Hanka se jednou svého muže zeptala, co ho při „TOM" nejvíc vzrušuje, a on řekl: *„Fotbal!"*

Myslím si, že je dobré mít své vlastní představy, ale že není dobré vědět detaily o svém nejbližším. Myslím si taky, že není úplně nutné naslouchat časopiseckým radám, že každý má být absolutně spontánní, vždycky si říct, co přesně chce, a nikdy se nebát projevit se. Jedna má kamarádka si postěžovala, že když přesně říkala, co chce, tak jí její muž připomněl situaci, když beznadějně hledá cestu v autoatlase. Další moje kamarádka zase prozradila, že vždycky ty nabádající časopisy četl zřejmě i její partner, protože když k „TOMU" došlo, tak jí vášnivě šeptal do ucha: *„Křič! Klidně křič! Neboj se a křič"!* A ona by i křičela, jenže... v tu chvíli neměla proč!

Jedna z nejklasičtějších rad všech – časopisů, odborníků, přítelkyň i filmů – zní: Když chcete ozvláštnit vztah, vyzkoušejte něco nového.

Něco **nového** se většinou může odehrát v **novém prostředí**.

Můj zážitek z inovace prostředí byl takový, že jsme si půjčili horskou chatu. S mým milým jsme tam přijeli a bylo tam minus čtyři stupně. Můj milý dva dny nepřetržitě (a když říkám nepřetržitě, myslím **nepřetržitě**) topil. A když jsme odjížděli, tak v chalupě byly minus dva!

Zážitek spolužačky byl ještě lepší. Sešla se se svým milým ve vypůjčeném bytě. Kamarádka velmi projevovala svou náklonnost a vášeň, ale vlčák, obyvatel vypůjčeného bytu, který byl doma, byl ještě vášnivější, a rozhodl se, že právě on je hoden lásky milence mé přítelkyně. A protože pes chtěl dosáhnout svého za každou cenu, tak přítel mé přítelkyně měl lásky dost!

Tato má přítelkyně chtěla taky svého partnera ohromit botami na jehlách, korzetem a černými punčochami. Když ji milý svlékal a uviděl podvazek, tak řekl: *„Jéžiš! Kdybych tě neznal, tak bych utek!"*

Má rada pro přežití milostných zážitků zní:

ZAPOMEŇTE NA EXPERIMENTY!

V příjemném naplnění lásky často překážíme sami sobě. Většinou se totiž za něco stydíme. Já jsem se tak dlouho styděla, že jsem před svým manželem asi tři roky používala tzv. krabí metodu. Znamenalo to, že jsem nepřipustila, aby mě mohl vidět nahou zezadu.

Jedna má přítelkyně zas v rozhodující chvíli přišla na to, že má na sobě stahovací kalhotky, které ji měly dělat o pár centimetrů užší, a tak si je šla svléknout, a protože měla nějaké šněrovací boty a dlouhé sukně, tak se do toho prádla tak zamotala, že si vlastně spoutala nohy. Nemohla sem ani tam. Její partner ji šel na toaletu vyprostit a ona se tak bála prozradit, **tak** se styděla říct, že chtěla být hubenější, že se o kalhotkách, co jí svíraly kotníky, nezmínila a radši předstírala, že je namol a nemůže udělat ani krok. Partner ji pak nesmírně obtížně dopravil domů, ale vzhledem k tomu, že jeho matka byla alkoholička a on si myslel, že jeho přítelkyně se nemohla hýbat už po čtyřech deci, tak dospěl k závěru, že je taky notorička, a už se jí nikdy neozval.

Když mi bylo osmnáct, byla jsem u moře, a tam jsem se každý večer bavila s jedním Američanem. Přes den jsem se styděla ukázat se mu v plavkách. Tak jsem chodila do sousedního hotelu k bazénu. Ale protože mi osud nepřál, tak tam Američan přišel taky. Seděla jsem na lehátku jak přibitá a byla jsem rozhodnutá, že se nezvednu za žádnou cenu. Dřepěla jsem několik hodin. Už jsem měla úžeh a Američan pořád vesele konverzoval. Občas si sice šel zaplavat, ale přitom mne neustále pozoroval. Najednou se zvedl vichr, nějak neopatrně jsem se zavrtěla a vítr mi zpod ručníku vyrval peníze. Stomarkovku. Jediné prachy, co jsem s sebou měla. A pak to bylo jako v grotesce. Vítr si pohrával s bankovkou, skotačil s ní, nesl ji vzduchem a spouštěl k zemi a já jsem honila peníze, běhala jsem a skákala kolem bazénu jako blázen. A sto marek lítalo z keříku na keřík a Američan čuměl a pak mi pomáhaly peníze honit domorodé děti a pak jsem se v plavkách za prachama vyšplhala na palmu a pak mi peníze stejně uletěly. A já jsem šla potom za průvodkyní a řekla jsem jí: *„Jsem chudá, tlustá a blbá a jedu domů!"*

A proto jediné, co pro sebe můžete v lásce udělat, je:

ZAPOMEŇTE NA KOMPLEXY!

Vzpomněla jsem si ještě na další blud, který nás může potkat.

Jedna moje kamarádka svému milému klasicky nastrouhala do salátu hodně celeru. Moc celeru. Netušila, že její milý je na celer alergický. Nejdřív se začal dusit, pak zmodral a pak se mu dokonce na několik okamžiků zastavilo srdce. Vášeň skončila na jednotce intenzivní péče a má přítelkyně nedávno, když jí opět někdo k radostnému životu doporučoval celer, prohlásila: *„Jo, ten já tedy rozhodně mohu použít. Ale jenom nať a jenom jako dlahu!"*

Někdo tvrdí, že sex se v životě člověka přeceňuje. Někdo tvrdí, že sex je v životě nejdůležitější, a někdo se tváří, že když se řekne sex, že neví, o čem je řeč.

G. B. Shaw řekl: *„Sex je ten největší žert, který si z lidí ztropil Bůh."*

Já říkám, že na každého platí něco jiného a že nemá cenu poslouchat cenné rady. Ani ty moje. A proto při sexu:

ZAPOMEŇTE NA VŠECHNO!

Nejlepší totiž je oddat se té chvíli, houpat se v pocitech a vědět, že **sex se teorií nikdy nevyřeší!**

Jak přežít
depresi

Mou přítelkyni opustil manžel. Byla zoufalá. Plakala, plakala, plakala. Jednou k ránu mi zavolala a vzlykla: *„Tak dneska se zabiju."* Ještě než jsem stačila zareagovat, kamarádka dodala: *„Když se mnou ovšem nepůjdeš do cukrárny!"*

Americký lékař Martin Kellers teprve nedávno přišel na to, že nejrozšířenější chorobou je deprese. Že jí trpí osmdesát procent lidstva. Že nemoc nejčastěji postihuje ženy mezi třicítkou a padesátkou a že deprese je choroba spravedlivá, protože zasáhne ty, kteří mají úspěch, i ty, kteří jsou úplně dole. Nebudu vám vysvětlovat, jaké léky na depresi zabírají. Nevysvětlím vám ani princip elektrošoků. Na určitých příkladech vám jen jemně naznačím, co dělat, když to na vás jde.

Deprese je totiž plíživá záležitost a jedním z jejích nejtypičtějších příznaků je, když... když jste smutní.

Mému kamarádovi Robertovi je čtyřicet dva, je šéfem reklamní agentury, má dvě děti, ženu, milenku a milion povinností. V srpnu se rozhodl, že potřebuje odpočinek a že pojede s rodinou do Francie. V bance stál dvě hodiny, protože měl poškozenou visa kartu, pak zjistil, že mu v autě někdo ukradl rezervu, pak musel odvézt všechny kytky k babičce, pak si vzpomněl, že zapomněl napsat výplatu zaměstnancům, a pak se do vozu snažil naložit synův kajak, dceřino kolo, manželčiny čtyři kufry, svou videokameru, notebook a kyslíkovou bombu. Pak mu došel benzin, pak mu celníci vyrabovali auto, pak si manželka vzpomněla, že nechala otevřené okno, a pak děti začaly řvát, protože si s sebou vzaly křečka a on se zašprajcoval pod sedadlem. Pak Robert zastavil na německé dálnici, přeskočil svodidla a zmizel v lese. Za tři dny ho našli v Bavorsku na mýtině na posedu a zaboha nechtěl dolů! U Roberta se projevil tzv. manažerský syndrom. Trpí jím většina schopných mužů v produktivním věku, kteří na první pohled vypadají velmi dobře!

Pavel je šéfredaktor. Zhruba před měsícem zjistil, že mu do čísla zařadili článek, který už jednou vyšel, dozvěděl se, že ho jedna zpěvačka žaluje za urážku na cti o pět milionů, napočítal v textu sto třicet gramatických chyb, prozradili mu, že jeho zástupce přetáhla konkurence a že s definitivní platností bylo rozhodnuto, že se celá jeho redakce musí vystěhovat. Pak Pavlovi jeho asistentka řekla, že s ním čeká dítě, pak nejel výtah a pak Pavla označkoval pták. Zašpinil mu sako nad náprsní kapsou a Pavel se za to místo chytil, sedl si na bobek, z očí mu vytryskly slzy a Pavel se hořce rozplakal. Vzlykal: *„Nikdo mě nemá rád! Nikdo mě nemá rád!"* A pak ho houkačka odvezla na intenzivní péči, protože jak se tak křečovitě držel za srdce, tak si všichni mysleli, že má infarkt!

Má první rada zní:

DEJTE SI POZOR NA HOLUBY!

Režisér Woody Allen má neustálé deprese. Je buď doma, na place, anebo v blázinci a jeho syndrom se projevil i v jeho výkřiku. Woody jednou hořce naříkal: *„Bože můj! Bože můj!"* A pak se zarazil a dodal: *„Na čem právě děláš?"*

U ženy se deprese nejčastěji projevuje tak, že si pozve kamarádku, hypnotizuje telefon, sní, na co přijde, vypije, co vidí, a jde za tím svým a chce, aby si ji okamžitě vzal.

Podle doktora Kellerse je klasickým projevem počínající deprese, když se neadekvátně bojíte. Můj kamarád Jura slavil narozeniny a pozval si do své vily asi dvacet hostů. Pořád všem opakoval, že se mají v pohodě bavit, že tam stejně u něj není nic, co by se dalo zničit, ať klidně klepou popel na zem, nezouvají se a sklenice staví na leštěné dřevo. Jediné – a to Jura pořád zdůrazňoval – na čem u něj doma opravdu záleží, jsou jeho kachlová kamna! Jen ta kamna! Pak se všichni opravdu bez zábran bavili a pak bylo asi pět ráno. Jura šel, vzal motyku a s absolutním požitkem vlastnoručně rozsekal svá kachlová kamna!

Jeden muž stojí před domem a snaží se zoufale odemknout dveře. Zastaví se u něj druhý muž, pozoruje ho a pak mu řekne: *„Ale tím doutníkem neotevřete!"* A muž se podívá na doutník, který strká do zámku, a nešťastně řekne: *„Ježiš, tak to jsem před tím asi vykouřil klíče!"*

Roztržitost je klasickým příznakem deprese. Můj kamarád bydlel na sídlišti a tam se v samoobsluze zamiloval do prodavačky. To by nevadilo. Ale on už byl ženatý a bydlel vedle v bloku. Šest let se mu dařilo poměr tajit. Měl prodavačku i manželku. Obě v panelákových 2 + 1. Pak změnil zaměstnání a jednou přišel domů, otevřel lednici a řekl: *„Kde mám ty párky?"* *„Jaké párky?"* zeptala se jeho žena. *„Ty, co přinesl Pavel."* *„Jaký Pavel?"* chtěla vědět žena. *„Náš Pavel!"* řekl kamarád. *„Jaký náš Pavel?"* nechápala žena. *„No přece náš syn!"* zařval její muž. Manželka se roztřásla. *„Ale... my přece nemáme žádného syna."* Kamarád na ni chvilku koukal a pak zařval: *„Proboha! Vždyť já jsem v jiným bytě!"* A pak řval hystericky dál: *„To se už nedá vydržet. To se nedá! Už nemůžu! Udělám konec! Kde mám ten revolver! Já se zastřelím! Teď hned!"* No... a nezastřelil se! Tu pistoli měl totiž taky v tom druhém bytě!

Nerozhodnost je dalším klasickým příznakem frustrace. U mé známé se to projevilo tehdy, když šla do řeznictví a tam měli spousty masa a ona najednou nevěděla, jestli má koupit kýtu, anebo plecko, telecí, jehněčí, hovězí, a pořád pouštěla před sebe lidi ve frontě a pořád přemýšlela a pak, to už byla nápadná, začala fňukat a pak koukla na ta zvířecí, krvavá, naporcovaná těla a vyvřískla: *„A takhle dopadneme všichni!"*

Depresi měl Hitler. Jedl asi patnáct různých pilulek týdně. Depresi měl Winston Churchill. Ten ji léčil alkoholem.

Franz Kafka nenáviděl svého otce a celý život myslel na smrt. Marilyn Monroe podivně umřela. Diana trpěla bulimií. Gorkij napsal drama „Na dně" a celý život si myslel, že na dně je. Freud bral kokain a to, že dnes pacienti při psychoanalýze leží na pohovce, vzniklo díky jeho traumatu z toho, že by se na něj mohli v ordinaci dívat.

Napoleona frustrovalo, že má tak velkou hlavu, že ji neudrží rovně, že se rozhodl ovládnout svět, a Dustin Hoffman chodil k psychiatrovi proto, že neměl práci. Pak dostal roli ve filmu „Absolvent" a denně platil za psychiatra tři stovky, protože byl úplně hin z toho, že je hvězda!

Spisovatelka Saganová jednou zavolala svému psychiatrovi a plakala mu do telefonu: *„Pomoz mi, prosím tě. Mám smlouvu na to, že musím do týdne odevzdat rukopis, a nenapadá mě ani slovo."* A psychiatr-kamarád jí řekl: *„No tak... počkej."* Pak začal: *„Normální žena potká normálního muže."* A Saganová nadšeně zařvala: „*No to je vono! To je originální! Díky! Čau!*" A vznikl bestseller!

V Rusku mají na deprese dost zvláštní lék. Pijavice. Jedna stojí sedm rublů. Zoufalci v depresi si je přikládají k tělu a nechávají si své problémy doslova odsát. Generální ředitel Mezinárodního lékařského ústavu pro chov pijavic v Moskvě Mragor Mragorovič nedávno řekl: „*Ti, kteří používají pijavice, čerpají bio-energii, cítí se lépe a nemyslí na chleba!*" A z toho vyplývá má další rada:

DEJTE SI POZOR NA DIAGNÓZU!

Člověk, který si s depresí neví rady, se rozhodne se vším skončit. Mimochodem – psychiatři prý se vším končí dvakrát častěji než jiné profese. V bibli se vším skončil Jidáš, u Shakespeara Ofélie, se vším skončil Ernest Hemingway. Mně připadá daleko lepší, jak zakončil svou knihu „Murphyho zákony" spisovatel Artur Bloch. Napsal totiž: „*Klid! Na ničem příliš nezáleží, a je jen málo věcí, na kterých záleží vůbec!*"

Tři nejčastější věty sebevrahů jsou: „*Nemám pro co žít.*", „*Nemá to smysl.*" a „*Nikdo mě nepotřebuje, tak jdu.*" Já už jdu, ale vy... **vy si dejte pozor na život!**

Jak přežít
nakupování

Skotský fotbalista přijde do obchodu, vytáhne zubní kartáček a chce ho nechat opravit. Prodavač mu vysvětluje, že zubní kartáčky se neopravují, že se kupují nové. Skotský fotbalista rozpačitě řekne: *„No jo, ale to já sám teď nemohu rozhodnout. To je totiž klubový kartáček."*

Němci nakupují nenápadně. Přesto mají obrovskou zálibu ve velkých, masivních zlatých špercích. Jsou taky přímo posedlí nakupováním dobrých, kvalitních vozů. Ženy si oblečení kupují, aby bylo zejména pohodlné. Většina z nich má pocit, že sexy móda je přepychem, a skoro každý normální Němec dá před erotickou košilkou přednost řízku s dušenou mrkví. (Proč je tedy na naší E 55 tak rušno?!) Pravda nicméně je, že úplně každý Němec dá před vším (tedy i našimi děvčaty z E 55!) přednost pivu!

Životní radostí Rusů je taky alkohol. Nejbohatší Rusové mají na sobě většinou absolutně nejdražší značkové šaty. Většina z nich pro jistotu ale stejně s sebou všude vláčí igelitku. Kdyby náhodou. Hybným motorem nákupů všech Rusů není touha mít se dobře, stejně jako u nás i v Rusku vládne závist a snaha dostat všechny lidi na stejnou, to znamená mizernou, úroveň!

Pro Francouze je nakupování obřadem. Zvlášť příjemné je nakupovat tam v neděli na trzích maso a zeleninu, naprosto nezbytné je smlouvat a ke každému kousku jídla čichat. Nejideálnější je cpát si potraviny prakticky do nosu, protože když to neuděláte, tak se prodavač smrtelně urazí.

Když jsem nakupovala v Africe, tak jsem si na pravém masajském trhu koupila masajskou ebenovou hůl. Pak jsem s tou holí přišla do opravdové masajské vesnice a všichni se v ní sběhli, byli absolutně rozrušení, protože poprvé v životě uviděli – pravou masajskou hůl!

Taky jsem byla v Americe. Bydlela jsem u lidí, kteří kdysi dávno přišli z Polska. Vyprávěli mi, že tehdy je jeden Američan poslal, aby mu v supermarketu koupili kávu. Náš polský hostitel tehdy zmateně jezdil v potravinách s vozíkem. Byl fascinovaný, rozčarovaný. Nemohl pochopit, jak propastný rozdíl je mezi nákupem v jeho socialistické zemi a na prohnilém Západě. A pak se zoufale zeptal: *„Kde je, prosím vás, káva?!"* A prodavačka ledabyle kývla k regálu a on uviděl, že tam není jedna káva, z které se dá uvařit turek, na kte-

75

rý byl zvyklý, ale že jsou tam tisíce a desetitisíce krabiček, kelímků a sáčků. A Polák šel a míjel kávu kalifornskou, brazilskou, tanzanskou, tureckou, instantní a celozrnnou, a když se dostal ke kávám s příchutí, tak se zapotácel, zalapal po dechu a omdlel!

Já jsem v Americe taky málem omdlela. Byla jsem v Hollywoodu na předávání Oscarů, ale neměla jsem tolik, abych mohla nakupovat tam, co hollywoodské hvězdy. Přesto jsem zvolila poměrně dobrý obchodní dům – Bloomingdale.

Zrovna ten den tam měli obrovské, skoro sedmdesátiprocentní slevy. Vypadalo to tak, že se všechno oblečení válelo po zemi a u hromad šatstva si vybíraly veliké, masivní, dost agresivní černošky. V jedné kabince se tísnilo dohromady asi šest žen a jedna z nich mi z ruky vyrvala šaty za sto padesát dolarů a prostě si je rozhodla vzít. Za půl hodiny ze mne lil pot a za další hodinu jsem po zoufalém rozhodování držela v ruce maličký (pro mne **evidentně** maličký!) svetříček, světle modrý, který někdo, lehce umatlaný od make-upu, pohodil na hromadu vedle záchodů. Pak jsem si se světle modrým pulovříkem stoupla k pokladně a pak jsem šokovaně zjistila, že podstata nákupu je stejná u nás jako za mořem. Dáma přede mnou totiž paní pokladní diskrétně naléhavým šepotem řekla: *„Prosila bych dvoje prsa a jeden zadek!"* A prodavačka sáhla **pod pult** a spiklenecky vytáhla ňadra z rosolovité gumy a růžový, pěkně tvarovaný, vyšpulený růžový zadek. Má první rada proto zní:

POZOR! TO NEJLEPŠÍ JE VŽDYCKY POD PULTEM!

Má přítelkyně se měla vdávat a já jsem s ní šla koupit klobouk. Má přítelkyně úplně omdlévala studem, protože zjistila, že tak velký klobouk, jako má ona hlavu, vůbec nevyrábějí! Prodavačka jí pořád nasazovala neuvěřitelné modely a pořád fňukala – nevěřícně – něco v tom duchu, že takhle obrovskou hlavu tedy ještě neviděla, až našla hučku, která mé kamarádce nevěstě opravdu **byla**! Vypadala sice strašně, ale pasovala jí akorát. A prodavačka od kamarádky poodstoupila a řekla: *„Tak! A teď je z vás konečně dáma!"* A zničená kamarádka na ni koukla a řekla: *„Škoda že vám by tady nepomohlo nic!"*

Nejčastější typy prodavaček jsou ty, které ví přesně, co byste právě vy měla mít.

Nejstrašnější typy jsou ty, kterým je úplně jedno, co chcete mít!

Děsuplně působí ty prodavačky, které jsou přesvědčeny, že prodávat je ponižující a že co nevidět přijde čas, kdy budete vy – ošklivi, staří, zbyteční a nespravedlivě bohatí – sloužit jim!

A nejvíc mě deprimují prodavačky, které by vám v radostném nadšení snesly proti vaší vůli modré z nebe!

Mě tedy poměrně dost urazila prodavačka, když jsem si šla s mým novým (ještě příliš nezmapovaným) přítelem koupit něco pěkného do společnosti. Obcházela jsem ramínka a občas jsem si koketně nějaký model ležérně přitiskla k obličeji. To prodavačku šíleně podráždilo. Šaty mi razantně vyrvala z ruky a na celý obchod zařvala: *„To není nic pro vás! Tohle mohou nosit jen mladý a štíhlý!"* A bylo po nákupu i po příteli.

Můj muž nenávidí obchody s dámským prádlem. Nepůsobí na něj eroticky. Většinou tam chci taky něco velmi praktického, lépe řečeno – většinou tam chci něco, co mi bude! Už jsem si vytvořila specifickou formuli pro nakupování prádla. Zní: *„Čím větší prsa máte, tím placatější bude prodavačka."* Manželův vztah k regálům s kalhotkami a podprsenkami jsem pochopila, když jsem se s ním dostala do oddělení pro kutily. Když mi asi hodinu ukazoval pilníky, vrtáky a matky, tak jsem zavolala kamarádce, ať se se mnou jde okamžitě opít. V oddělení pro kutily mne zaujal jen hřeben; koupila jsem ho dceři, která má dredy, a pečlivě jsem zatajila, že je to hřeben na borůvky!

Fakt je, že můj muž taky jednou obživl, když jsme v Amsterdamu vešli do butiku, kde prodavačka měla podobné rozměry jako já a pošeptala mi: *„Mám pro vás něco speciálního!"* Vešla do skladu, a když se vrátila, držela švestkově modrou věc, kterou pak identifikovala jako speciální lastexový oblek pro speciální erotické hrátky. Mělo to přezky, motouzy, dokonce něco jako ploutve. Můj muž nadšeně řekl: *„To si kup!"* A když jsem se šokovaně zeptala: *„A co s tím budu dělat?!"*, tak mi odpověděl: *„Můžeš se v tom potápět ve vaně!"*

Můj nejhorší zážitek se udál asi před rokem, když jsem si šla koupit boty. Potřebovala jsem lodičky do divadla a přijela jsem rovnou z chalupy. Měli jsme na ní zedníky a já víkend strávila mezi cementem, vápnem a hlínou. V pondělí jsem měla vyrazit na premiéru, a tak jsem nejdřív vyrazila do butiku. Byl v centru, boty tam stály zhruba osm tisíc a prodavačky, které vydělávaly asi pět tisíc měsíčně, nenáviděly každého, kdo vstoupil. Přesto jsem vstoupila, přesto jsem požádala o sametovou botku a přesto jsem do ní chtěla vklouznout. Pak jsem si zula vlastní boty a... nic špinavějšího jsem nikdy neviděla! Cement, vápno, hlína, bahno. Prodavačky mi střevíc odmítly půjčit a já premiéru proplakala doma.

Moje přítelkyně se málem zhroutila, když si zkoušela těsnou sukni. Ta sukně byla hodně těsná, ale přítelkyně byla rozhodnutá si ji stejně koupit, protože chtěla zhubnout! Sukně se zapínala vzadu. Zapnout šla, rozepnout ne. Kamarádka ji chtěla přetočit, kroutila se jako had a jediný výsledek byl, že sukně se jí vyhrnula do pasu a tam vytvořila pevnou obruč jak od zlého kouzelníka. Kamarádka se začala dusit, a protože byla v kabině už skoro hodinu, tak tam vtrhla prodavačka, vytáhla ji ven a na celý obchoďák volala: *„Je tlustá a rve se do osmatřicítky!"* Moje kamarádka pak skončila u doktora Cimického, protože přestala jíst a způsobila si mentální anorexii.

Nejlepší rada, jak takové prodavačky zlikvidovat, proto zní:

MĚJTE SVOU HRDOST!

Myslím, že největší hrdost měla vždycky moje dcera. Když se mnou byla v obchodě a prodavačky jí přinášely šatičky, tak se vždycky zamračila a velmi nahlas řekla: *„To nechci! To je hnusný!"*

Existují samozřejmě i sympatické bytosti v obchodech. Jsou to zejména ti lidé, kteří vás před svým zbožím varují, ti, kteří vás litují, a ti, kteří vám to, co si přejete, vnucují **zadarmo**!

Mně připadala strašně milá jedna prodavačka v Tescu, kde jsem koupila všechno, co nám doma chybělo. Takové ty nepopulární věci: mouka, sůl, voda, rýže. Byly to strašné balíky, spousta koření, hořčice, kečupy, knedlíky, chleby, ryby, a prodavačka doslova vyjekla: *„Tolik jídla!"* A já – byla jsem úplně zničená – jsem vydechla: *„To je pro rodinu. Je nás šest!"* A prodavačka s absolutní účastí řekla: *„To bych se na ně vykašlala!"*

Má teta na Ukrajině prodávala v místním konzumu. Když jsem u nich byla na návštěvě, tak mne fascinovalo, že ona do obchodu ráno nikdy nešla. Byla jsem z toho nesvá a ptala jsem se: *„A ty dneska nepůjdeš do* *práce?"* a Marika mi vždycky odpověděla: *„A co bych tam dělala, vždyť tam nic není!"* A měla pravdu. V konzumu na Ukrajině měli na poličkách jen takové zaprášené lahve, ve kterých byly zavařené kdoule. Má nakladatelka mne poučila, že kdoule nejsou moc poživatelné – proto zůstaly i na Ukrajině – ale že jsou báječné proti molům. Na Ukrajině ale neměli ani moly. Jednou ráno Marika do obchodu vysloveně běžela. Šla jsem se za ní později podívat a uviděla jsem před obchodem frontu dlouhou asi půl kilometru. A uvnitř se lidi doslova prali u pultu. A ve mně se rozlila taková sociální blaženost: Konečně i tady něco mají. Pak jsem se dostala blíž a zjistila jsem, že všichni se tahají o světle modré gumové koupací čepice. Ty staromódní. Z šedesátých let. Rvali si čepice z rukou a kupovali je po sedmi, deseti kusech. Ve vesnici, kde jsem byla, nebylo žádné jezero, ani řeka, ani rybník, bazén tam snad neviděli ani v televizi. Šokovaně jsem se ptala: *„Proč ten nával? Co všichni šílí?"* A teta na mne nechápavě koukla a s absolutní převahou řekla: *„Jak proč? Přece přišlo zboží!"*

Má další rada zní:

MYSLETE NA BUDOUCNOST!

Špatně se nakupuje s chudákem! Blbě se nakupuje s boháčem! A úplně nejhorší je to s manželem, kterému se líbí všechno kromě vás!

Mně se docela vydařil nákup s kamarádkou. Zkoušela si v drahém obchoďáku džíny. Překvapivě neměla prádlo a samozřejmě se jí zasekl zip. Intimně. Zápolila s ním, rvala džíny ze sebe. Já jsem jí v kabině pomáhala. Byly jsme podezřelé. Nechtěly jsme přiznat, že je přítelkyně nahá. Kamarádka jen skučela: *„Už chápu, jak mi maminka vždycky říkala: Vezmi si dobrý prádlo, co kdyby se ti něco stalo."* Pak jsem ze zoufalství kamarádce přinesla dlouhý svetr. Byl hnusný, normálně by si ho nikdy nepořídila, ale teď kryl handicapovaná místa. Pak jsme zaplatily, za rozbité džíny a za hnusný pulovr, a jak jsme byly vyřízené, tak jsme si musely udělat radost v kosmetice a pak ještě v bižuterii a pak v oddělení botiček a pak jsme se šly občerstvit kafíčkem. A pak jsme vyšly ven a přítelkyně měla pořád pocit, že má nějak málo taštiček, a pak se jí nad rtem vyrazil pot a kamarádka zapištěla: *„Už vím, co jsem zapomněla! Dítě!"* A měla recht. V oddělení džín mezi modely visela taková ta sedačka na záda a v ní (poměrně spokojeně) spal kamarádčin šestiměsíční Kuba. Dneska je mu osmnáct a nenávidí (přítelkyně říká, že to je zasunutý horor z dětství) butiky!

Můj skoro nejlepší nakupovací zážitek byl, když jsem s manželem kupovala pro manžela kabát. Manžel má konfekční velikost. Já mám konfekční jen hlavu. Manželovi jsem vybrala dlouhý manšestrák. Byl do půl lýtek. Béžový, klopy, dvouřadové zapínání. Manžel mi uvěřil, že v kabátu vypadá úžasně, a nechal si

82

ho hned na sobě. Šli jsme chvilku po Václaváku a muž byl takový nepokojný. Pak se mě zeptal: *„Hele, a nevypadám v tom kabátě jako fízl?!"* A já jsem horlivě tvrdila: *„Vůbec ne, ohromně ti sluší, je to nádhera, moc pěkně v něm vypadáš!"* A pak jsme se pohádali, kvůli nějaké blbosti, co mi nechtěl koupit, a manžel šel naštvaně tři metry přede mnou a já jsem najednou, až tak nějak bezděčně, řekla: *„Tak si ty prachy sežer, fízle!"*

Moje přítelkyně měla milence a ten se s ní rozešel. Pak si uvědomil, že bez přítelkyně nemůže žít, a tak se obětoval a jel s ní do Norimberku a tam jí dovolil, aby celý den s jeho penězi chodila po svých nákupech. A chodil s ní. Absolvoval prádlo a boty a látky a šátečky, chodil po obchodech od devíti od rána a bez oběda, a přítelkyně byla ověšená balíčky a pak bylo za deset minut šest a přítelkyně řekla: *„A ještě se mrknu tamhle na ty náušničky."* V příteli se v tu chvíli něco zlomilo a zařval: *„Ne, to už stačilo! Tam nejdu! Konec!"* A přítelkyně se na svého milence podívala a řekla: *„Tak vidíš, celej den jsi byl takovej hodnej a teď sis to takhle zkazil."*

Má velmi důležitá rada, když jdete nakupovat, proto zní:

NEZKAŽTE SI TO!

Ostatně daleko lepší než si něco kupovat je, když vám někdo něco dá.

Královna Alžběta milovala dárky. Byla

schopná si obléct cokoliv. Tuny perel, krejzlíky jako lavory, krinolíny široké jako stan. Angličané s trochou pýchy tvrdí, že byla schopná navléknout na sebe všechno kromě londýnského Toweru.

Barbra Streisandová zas propadla punčochám. Má jich prý tolik, že by se jimi dala ovázat zeměkoule. Evita Peronová měla dvacet tisíc bot, které si koupila ze sbírek pro chudé. Hillary Clintonová zakazuje prodavačkám, aby prozradily, jakou má velikost, a vyhrožuje jim, že **jinak uvidí!**

Liz Taylorová si tak obtýden koupí briliantík a Mike Jackson po nocích s ochrankou chodí po obchodním domě Harrod's, zkouší si buřinky a pláče, že je všechno moc drahé. Když Cher uvidí obchod, kde je napsáno, že je tam výprodej, tak tam vtrhne a bez mrknutí „výhodně" utratí čtvrt milionu.

Když vtrhnu do obchodu já, tak mi v těsné kabině při pohledu do zrcadla okamžitě všechno dojde.

A právě proto, že zejména v obchodě pochopím, jak na tom jsem, řeknu vám svou poslední radu. A ta zní:

TO CHCE KLID!

Protože **to, po čem toužíte, nikdy nezlevní!**

Jak přežít
diety

V newyorském výzkumném ústavu dělali pokusy s krysami. Nejdřív je krmili tak, že krysy byly za měsíc dvakrát takové. Pak jim výzkumníci omezili žrádlo. Krysy zhruba za měsíc zhubly na svou původní váhu. Vědci pokus opakovali. Krysy byly vypasené už za čtrnáct dnů, a když je pak výzkumníci nechali hladovět, tak krysy na své původní váze byly až za čtyři měsíce. Když výzkumníci pokus opakovali potřetí, krysy byly už za osm dní jako obrovské koule! Pak měsíc nedostávaly vůbec nic k jídlu a přitom neshodily ani deko!

Nejčastější typ úmrtí je sebevražda vidličkou a nožem.

ODDĚLENÁ DIETA

Přesně o tento typ sebevraždy se několikrát za život pokusila herečka, alkoholička, narkomanka a milovnice čokoládového krému Elizabeth Taylorová. Byla zřejmě první, která se pokusila držet takzvanou oddělenou dietu.

To znamená, že pečlivě konzumovala vždycky zvlášť jídlo rostlinného, anebo živočišného původu. Původně vážila padesát čtyři kila, pak ztloustla na osmdesát pět kilo, a když „svou" dietu dvakrát opakovala, tak to dotáhla až na dvaadevadesát kilo. Přitom jedla buď škvarky bez chleba, anebo hory suchých špaget. Tehdy o ní její hollywoodský kolega Nicholson řekl: *„Elizabeth je tak tlustá proto, že si dává majonézu i na aspirin!"*

Majonézu vynalezl Napoleon. Přitom nebyl moc velký gurmán, jen chtěl, aby dostal jídlo okamžitě. Kuře, kotlety a kávu mu museli předhodit v momentě, kdy si o ně řekl.

Já nejsem odborník na diety. Jsem ale myslím dost poučená, abych znala pocit člověka, který se trápí, že je ho „tak nějak navíc". A když ho je **„tak nějak navíc"**, tak se bojí, že se nebude nikomu líbit, tak je odporný sám sobě, tak žere ze zoufalství ještě víc a pak dojde k rozhodnutí, že se v takové podobě nemůže ukázat světu a že pro něj bude nejlepší... zemřít!

SPRCHOVACÍ DIETA

Kvůli své postavě se trápila manželka Karla Čapka Olga Scheinflugová. Střídavě tloustla a zase hubla a (přesně jako ty krysy) zase víc ztloustla, a pak rychleji ztloustla a pak vymyslela speciální „Scheinflugovou metodu". Vždycky když na něco dostala „hlad", tak se šla sprchovat. S touhle dietou přestala, až když strávila ve sprše delší dobu než venku.

ŠONKOVA DIETA

Já jsem zkusila kdysi dávno i takzvanou Šonkovu metodu. Čtrnáct dní jsem vůbec nic nejedla, jen pila čaj, kávu a vodu. Pak jsem omdlívala, ale když jsem stoupla na váhu, tak se doktor Šonka dlouho díval na závaží a pak pomalu řekl: *„Nežereš a nehubneš!"* „A co to *znamená?"* zeptala jsem se plaše. A doktor řekl: *„To znamená, že budeš tlustá pořád!"*

LÁZEŇSKÁ DIETA

Hugo Hass s nadváhou taky zápasil. Jezdil dokonce na odtučňovací kúry do Dolní Lipové. Chodil tam taky na výlety. Doktoři pak přišli na to, že je podvádí, protože „na výletech" Hugo Hass mocně konzumoval po hospodách. Lékaři proto v restauracích rozestavěli hlídky. Hugo Hass je ale stejně obelstil, do skříně pod věšák si totiž („na strašlivý hlad") přitloukl deset šišek trvanlivého salámu!

ZABIJAČKOVÁ DIETA

Ludvíka XIV. se doktorům tak usměrnit nepodařilo. Ludvík obvykle večeřel čtyři chody. Celého bažanta, koroptve, mísy salátu, obrovské porce skopového, pláty šunky, podnos dortů, kila jablek. Po jídle odvrávoral do ložnice. A tam měl „švédský stůl" pro případ, kdyby náhodou v noci dostal na něco chuť.

Tuhle byla u nás moje kamarádka. Je malinká. Měří málo přes metr padesát. Někam jsme šly a já najednou zachytila pobavený pohled mojí matky. Chtěla jsem vědět, o co jde, a moje maminka mi řekla: *„Ále, vy dvě mi tak nějak připomínáte Havla s Kohlem!"*

No. Helmut Kohl vždycky, když váží sto dvacet osm kilo, jede do lázní Wolfgang See v Rakousku, nesmírně obtížně tam hubne a v momentě, kdy má „jen" sto dvacet kilo, se odmění tak, že sní najednou celý pekáč jelit.

POPCORNOVÁ DIETA

Herečka Roseanne Barrová se proslavila svou kulatostí. Pak dostala možnost uvádět vlastní televizní talk show a z velikosti čtyřicet osm se nechala plasticky zmenšit na velikost čtyřicet. Když přišla domů, tak se na ni její partner podíval a řekl: *„I kdybys měla postavu jako bohyně, tak s tím, co máš na hlavě, stejně vypadáš jako meloun."*

Roseanne držela popcornovou dietu. (Mimochodem: Cher chtěla mít štíhlejší pas, a tak si nechala odstranit dvě žebra.) Roseanne jedla praženou kukuřici. Její rodina ji nenáviděla. Roseanne pobuřovala i sousedy. Kukuřici si vlastnoručně pěstovala a taky ji vlastnoručně roztloukala na mouku. Často to dělala ve čtyři ráno. V té době od ní odešel i muž a Roseanne moc plakala, a když se ptala, proč ji opustil, tak jí její milý řekl: *„Proč? Protože jsem prchl za řízkem!"* Nabrnknul si totiž kuchařku z místní hospody.

Alfred Hitchcock nenáviděl své obézní tělo. Mstil se za ně. Když si někoho pozval na večeři, tak mu jídlo za trest obarvil. Většinou na modro! Zvlášť odporně vypadal švestkově modrý zajíc na modré smetaně. Podobnou sadistickou verzi diety praktikoval prý i režisér Jiří Krejčík. Jednou pozval domů známé filmaře. Řekl jim, že oběd bude v jednu. Posadil hosty a zeptal se manželky: *„Už to bude?!"* A paní Krejčíková řekla, že husa bude za chvilku, že husa ještě není dost propečená. A pak bylo za minutu jedna a režisér Krejčík se zeptai: *„Už to je?!"* a paní Krejčíková řekla, že ještě chvilku, že husa ještě nemá kůrčičku. Režisér se rozzuřil, vtrhl do kuchyně, vyrval z trouby pekáč a zařval: *„Řekl jsem, že oběd bude v jednu, tak bude v jednu!"* Husa zavoněla celou místností. Filmaři se zavrtěli. Režisér Krejčík jukl na husu a dodal: *„Ale ještě nemá kůrčičku!"* A pekáč i s husou mrštil z okna! (Bydlel ve třetím patře.)

MASOCHISTICKÁ DIETA

Já jsem se nejvíc trápila, když jsem jedla „tukožroutskou polévku". To jsem dokonce skončila v nemocnici. A když se mne lékaři ptali, co jsem to proboha pozřela, a já jim to prozradila, tak mi doktor řekl: „*No! A ta tukožroutská polévka vám při žraní toho tuku ještě sežrala kus žlučníku a slinivky!*"

Taky jsem se hrozně trápila, když jsem si pořídila rotoped. Pak se chtěla na rotopedu trápit i maminka spolužáka mého syna. Rotoped šla kupovat celá rodina a můj syn byl k nákupu přizván. Považovali ho za odborníka. Syn proto pečlivě vybral ten nejnovější model, co měří pulz, tlak, kalorie, tep. Matka spolužáka model koupila, zaplatila za něj asi patnáct tisíc a pak se mého syna zeptala: „*A maminka je s ním spokojená?!* A můj syn odpověděl: „*Jo. Ona ho používá jako věšák!*" Spolužákova matka se odmlčela, a pak manželovi řekla: „*Vidíš! Já věděla, že se bude hodit!*"

Carevna Kateřina Veliká byla hodně veliká, ale jediný pohyb, který uznávala, byl ten, ke kterému potřebovala velmi mladé milence. Hodně do nich investovala a pak se finance snažila ušetřit na jídle. Krmila je i sebe jen vařeným hovězím a solenými okurkami.

To Jindřich VIII. byl ke své milence Anně Boleynové štědřejší. V noci jí nechával posílat koláčky s meruňkami, pomerančové pudinky a tvaroh s jahodami. Anna to všechno šťastně snědla a Jindřich VIII. ji popravil!

ASTROLOGICKÁ DIETA

Tento typ diety provozují modelky. Když je úplněk, pijí jen vodu a za dvacet čtyři hodin prý zhubnou až o čtyři kila. Mně by spíš vyhovovala astrologická verze tenora Pavarottiho. Ten když je se svou figurou v největší krizi, tak zvedne hlavu, koukne do temného prostoru nebe a řekne: *„Tam nahoře je přece rozhodně něco mnohem většího, než jsem já!"*

Stalo se mi, že jsem jednou po absolvování nějaké strašlivé diety – tehdy jsem kombinovala dietu vajíčkovou s dietou kořeněnou (ostré koření prý urychluje metabolismus, a já proto lila na housky tolik tabasca, že jsem se jich nemohla ani dotknout) – v rámci rodinných výměn jela se školou do Německa. Byla jsem v dost nesympatické německé rodině, a když jsem jim při večeři snaživě vyprávěla nějakou veselou historku, tak jsem s hrdou nonšalancí řekla: *„To jsem byla tehdy tlustší."* *(„Ich war dicker.")* A německá dcerka na mne šokovaně vytřeštila oči a řekla: *„Noch dicker?!"* *„Jo! NOCH dicker!"* Od té doby jsem v Německu nebyla.

VÍKENDOVÁ DIETA

Víkendovou dietu držela Marilyn Monroe. Spočívala v tom, že Marilyn v pátek večer začala pít suché šampaňské a přestala ho pít v pondělí ráno. Pak ovšem byla při natáčení dost zplihlá, všelijak se motala, zapomínala text, a když jednou zvlášť blábolila, tak to její filmový partner Tony Curtis nevydržel a řekl jí: *„Co máte na mysli – když mi tedy prominete to přehánění."*

Člověk k „bodu zlomu" dojde, když: přijde sezona plavek, přijde pozvánka na třídní sraz po dvaceti letech, má mít za dva dny rande, je mu jen oblečení s gumou v pase, a když se v zrcadle nepozná!

U mě došlo ke zlomu, když jsem zjistila, že mám zvláštní druh sklerózy. Zapomněla jsem, kde mám brýle, nemohla jsem najít klíče, pak zmizela moje peněženka. Pak jsem s hrůzou přišla na to, že všechny důležité věci bezděčně odkládám... DO LEDNIČKY!

A dorazilo mne, když můj syn o mně řekl: *„Pořád myslí na to, co by snědla, aby zhubla."*

SMRTÍCÍ DIETA

Tvrdý chleba, mrkev, projímadlo a led. To je nepříjemná dieta. A tuhle nepříjemnou dietu dodržoval nepříjemný člověk. Adolf Hitler!

NEJLEPŠÍ DIETA

Daleko lepší (pro nás všechny) je být příjemným člověkem. Daleko lepší je držet nejlepší dietu na světě. A nejlepší dieta je: žádná dieta! Právě tu držel velmi příjemný člověk. Režisér Federico Fellini. A ten jednou řekl: *„Chcete být úspěšní?! Tak koukejte přibrat!"*

Jak přežít,
když jsou všichni
krásnější

Jsem přesvědčena, že skoro každý aspoň jednou ve svém životě bojoval s odporným pocitem, že všichni jsou tak nějak krásnější! A jsem taky přesvědčená, že kdo tvrdí, že ho to nikdy nenapadlo, že... LŽE!

K přežití pocitu, že ostatní jsou krásnější, vám nabízím deset základních rad. Má první rada radikálně zní:

ZAPOMEŇTE NA SVOU MATKU!

Klid! Nebudu se zabývat Domovy důchodců a stařenkami v roztrhaných punčochách na studených chodnících. Mám na mysli to, abyste zapomněli na všechny ty strašné matčiny věty!

Například matka Dustina Hoffmana svému synovi jednou řekla, že chodí jako kačer a že bude mít nos ve třiceti tak dlouhý, že si ho bude muset vozit na trakaři. Barbře Streisandové její maminka řekla, že je židovská holka, která šilhá, a proto musí umět psát na stroji nejrychleji ze všech. Máti Jacka Nicholsona svému hošíčkovi prozradila, že je v něm něco, co jí připomíná utopenou myš, a matka Woodyho Allena nechápala, že mohla zplodit bytost, která se třese jako ratlík, mžourá jako sova a v hlavě má binec větší než pouliční kontejner.

Moje matka mi předevčírem řekla, že prostě nikdy nebudu hubená, a protože je učitelka, tak ví, že skoro všichni její žáci byli v poměru se mnou mnohem chytřejší. Maminka taky koukla na mou fotku, kde mi bylo dvanáct, a vzdychla: *„Tehdy ti hrozně narostl nos..."*, pak vzdychla ještě jednou: *„Do tří let jsi byla nejhezčí dítě na Žofíně."* A pak vzdychla potřetí, protože se na mně zastavila pohledem a její oči s nelíčeným smutkem (ale už i vyrovnaností) putovaly časem až do mého miminkovského kočárku, kdy se maminka bláhově domnívala, že jí naplním její mateřské sny.

Má druhá zásadní rada všem těm, kteří se chtějí přenést přes fakt, že ostatní vypadají líp, zní:

JEĎTE DO AMERIKY!

Proč? Protože v Americe nežijí maminky, které svým dětem říkají *„Nehrb se! Nemžourej!"* a *„Všichni jsou inteligentnější!"*. V Americe matky většinou svým rezavým, paťatým, tlustým, líným spratkům tvrdí, že jsou *„great"*, že jsou *„úžasní"*! V Americe opravdu žijí nejkrásnější modelky, herečky a milionářky, v Americe ale taky uvidíte takové množství tučných zadků a břich, že vás (i když máte přes osmdesát kilo) zachvátí euforická závrať! V Americe mají podprsenky pro dívky s ňadry jako manžetové knoflíčky, mají tam ale i krajkové stany pro dámy, které si poprsí nosí pod krkem jako podnos pro čtyřiadvacet skleniček. V Americe má šanci každá.

No... ale jestli nežijete v Americe, ale vychovali vás (stejně jako mne) v Čechách a taky vám vsugerovali, že máte obličej jako makrela a zuby jako bobr, tak opusťte Čechy a jeďte svou krásu otestovat jinam!

Já jsem se testovala v Africe. Byla jsem nadšená, jaký zájem o mě projevoval masajský náčelník. Sedmnáct krav za mne nabízel! Byl přesvědčen, že mám ideální poměr pasu a boků a že bych mohla mít hodně dětí. (Asi tak osmnáct!) A právě plodnost je v Africe kritériem krásy. Na Kubě bych taky možná mohla celkem uspět. Na Kubě prý muži milují stehna tak mohutná, že se při chůzi třesou. Ve Švédsku zas vládnou ženy, které nosí boty minimálně dvaačtyřicítky, a v Japonsku je „in" mít krk dlouhý jako zmije! Ve Španělsku mají krasavice bříška vypouklá jak v šestém měsíci, a když Španěl uvidí prsa větší než pingpongové míčky, tak vzrušením omdlí (omdleli čtyři).

Jednou se v anglickém klubu sešli lordi. Bavili se o tom, co je na ženách nejkrásnější, a lord Brown řekl: *„Na ženách jsou nejkrásnější oči."* Lord White řekl: *„Na ženách* jsou nejkrásnější hedvábné vlasy,“ a lord Smith oponoval: „Na ženách jsou nejkrásnější jejich nohy.“ Lord Henry zděšeně vyjekl: „Proboha! Tak dost! Ať nakonec někdo z nás neřekne pravdu!“

V pravěku byla symbolem krásy Věstonická venuše. Antika přišla s oblou štíhlostí. V gotice vítězil vzedmutý žaludek nad miniaturními ňadry. V renesanci se za krasavice považovaly všechny zrzky. V baroku vládla rubensovská kila. A tak když chcete mít lepší pocit ze svého vzhledu, tak rozhodně...

STUDUJTE DĚJINY UMĚNÍ!

Ještě nikdo nikdy nedefinoval, jaký má mít obvod žlučník, nikdo nehodnotil míry jater, a z toho logicky vyplývá, že u člověka žádná „vnitřní krása“ neexistuje!

Kult muže v posledních letech uvadá. Je už jen velmi málo oblastí, kterou by neovlivnily ženy. V jedné sféře muži stále absolutně vládnou. A tou sférou je ženská móda!

Móda je nejdražší obalová technika. Móda je to, co vychází z módy. Móda je to, co otvírá peněženky, vráží dýky do srdcí a živí statisíce švadlenek. Móda je pro každou ženu tak důležitá, že má další rada zní:

ZRUINUJTE SE KOŽICHEM!

Když si totiž (navzdory ekologům) aspoň jednou za život nepořídíte něco z pravé kůže, tak zemřete s pocitem, že vás nikdo nikdy neměl rád!

Nemyslete proto na peníze! Zkuste všechno! Krémujte se, pentlete a uvědomte si, že nový melír ovlivní váš život mnohem víc než nový věšák do předsíně.

Pochopte konečně, že když vrazíte do kostýmu dvanáct tisíc, je to jen proto, abyste se mohla radostněji věnovat svým malým (lehce hladovějícím) dětem! A když budete mít za sebou ještě masáže, umělé řasy, umělé nehty, umělý chrup, tak... tak věřte na zázrak!

Má pátá rada je prostá. Vychází z chybného mýtu. Vždycky se tvrdilo, že hezká holka kamarádí s ošklivou, aby vynikla, a že ošklivka se táhne za krasavicí, aby snědla drobty, co spadnou z „hezkého" stolu. Hm. Když se budete světem potloukat s vampicí, která má blond hřívu, přes hrudník sto deset a vosí pas, tak se drobečky, co spadnou z jejího stolu, určitě zadusíte!

A proto radím:

OBKLOPTE SE HOMOSEXUÁLY!

Jsou kultivovaní, mají vkus a jsou vždycky upřímné kamarádky!

Nejhorší je, když se ocitnete ve společnosti, kolem vás projde osmnáctiletá laň a všichni přítomní muži přestanou dýchat. Pak máte jen dvě (blbé) varianty, jak se zachovat.

Můžete předstírat, že se vám dívenka líbí taky (nejradši byste jí, pochopitelně, vyškrábala oči), anebo se můžete tvářit, že jste tak ponořena do svých myšlenek, že jste to dítě vůbec nepostřehla (o tak velkých prsou jste ani nesnila!)!

Má šestá rada vychází z prosté pravdy, že každá mladá krasavice je něčí dcera, je proto jasné, když řeknu:

VYKAŠLETE SE NA DĚTI!

Má sedmá rada je ještě radikálnější. Kdyby se vám někdo líbil a ten někdo by byl takový, že by si dovolil vám naznačit, že se mu nelíbíte vy, tak:

ZNIČTE HO!

Má osmá rada, jak odhodit nesmyslný pocit, že ostatní jsou hezčí, zní:

UŽÍVEJTE SI!

Když se náhodou setkáte se třemi muži a všichni tři vám řeknou, že máte houbovitý nos, nezabíjejte se, zabte je! A seznamte se s dalšími třiceti muži! Se třemi stovkami mužů! S třemi tisíci mužů! A mezi nimi se určitě najdou zase minimálně tři, kteří vám od srdce řeknou: *„Krásnější nos jsem nikdy neviděl!"*

Nejste promiskuitní? Anebo si myslíte, že ani tři muži se pro vás nenajdou? Hm.

V tom případě vám tedy zbývá ještě poslední šance:

JDĚTE NA PLASTIKU!

Vím o kamarádce, která odjela z venkova do velkoměsta a tam si nechala odstranit tuk z břicha. Pak se bála jet domů, protože jí manžel do telefonu řekl, že už se mu stýská po jejím kulatém bříšku. Nakonec se v hrůze vrátila, v hrůze se před svým mužem svlékla a on... ON si ničeho nevšiml!

Hm. Jenže ani plastika vaší duši nepomůže, když se vám zase vybaví matčina slova. *„Ty prostě nikdy nebudeš hubená!"* A protože matky mají vždycky pravdu, tak... má poslední rada zní:

ZABTE SVOU MATKU!

Že je to moc drsný závěr?! Hm. A co myslíte, když se muž setká s podnikatelkou, s ženou v domácnosti a s akademičkou, kterou z nich nejpravděpodobněji pozve na rande? Přece tu, která má největší prsa.

Jak přežít
choroby a doktory

Jednou jsem měla představení a tam se mne někdo zeptal: „*Proč máte tak negativní vztah k lékařům?*" Vyděsila jsem se. Já a negativní vztah?! Jen za tenhle rok bych bez lékařů byla asi třikrát mrtvá! A pak jsem si vzpomněla, že jsem divákům vyprávěla, jak se mi narodila dcera. Tehdy jsem byla mladá. Nevěděla jsem nic, a když přišla primářka na vizitu, tak jsem se jí zděšeně zeptala: „*A paní doktorko, není ta moje holčička nějaká malinká?!*" A primářka řekla: „*Není. Víte, ona všechna miminka mají při měření pokrčené nožičky, měření tedy není přesné, jak mají ta miminka skrčené nožičky, tak jsou menší, a kdyby miminka nožičky natáhla, tak by byla větší!*" „*No... ale všechna ta miminka mají pokrčené nožičky,*" namítla jsem. Pak jsem odvážně pokračovala. „*To znamená, že jsou vlastně všechna ta miminka menší, ale... kdyby se nožičky mé dceři i těm ostatním miminkům natáhly... právě nevím, jestli moje dcera není ně-*

jaká malinká.“ Lékařka byla úplně ochromená mou logikou. Neochotně se zeptala: *„No a kolik tedy měří ta vaše dcera?“* A já jsem řekla: *„Čtyřicet pět centimetrů!“* A doktorka zaváhala a pak řekla: *„No, to je tedy dost malinká!“*

Můj vztah k lékařům není negativní, já jsem si jen jistá, že většina doktorů si myslí, že každý jejich pacient nemá jen vymknutou nohu, ale že je úplný debil!

Má první rada, jak přežít lékaře a nemoce, zní:

NARODTE SE JAKO SEDMIMĚSÍČNÍ A NEDOPUSŤTE, ABY NA TO NĚKDO ZAPOMNĚL!

Celý svůj život své okolí neustále upozorňujte, že jste byli (a jste) slaboučcí, neduživí a churaví. Všem zdůrazňujte, že máte alergii na prach, jesle, cizí malé děti, školu, tělocvičnu, úklid, tetu Máňu a kyslík. Všem opakujte, že jste živi jen zázrakem božím a že je povinností vašich nejbližších o vás pečovat. Až do smrti! (Zřejmě jejich!)

Všichni se chceme vyhnout **strašlivým** lékařům, všichni toužíme po protekci. Nenápadnou a nejúčinnější protekcí jsou lékaři-spolužáci. (Ale pozor! Musí to být spolužáci ze základní školy. Spolužák z gymnázia už tuší, že vaše návštěva v jeho ordinaci je jen vypočítavý kalkul, a má dosud v čerstvé paměti, jak jste na chmelové brigádě načesali o čtyři věrtele víc než on.)

Takže až půjdete do první třídy, ne-
protestujte, když vás maminka posadí vedle
toho tlustého chlapečka s šišatou hlavou. Je
to Jenda Mařický, a protože už jeho praděd lé-
čil tetu prezidenta Beneše, máte i vy se svými
budoucími nemocemi docela šanci.
Má druhá rada proto zní:

CHOĎTE NA VÝBĚROVOU ŠKOLU!

Mám s nemocí zkušenost na západě.
Ve Francii mi praskla achillovka. Seděla jsem
na vozíku a čekala na lékařskou diagnózu asi
čtyři hodiny na chodbě nemocnice. Nikdo si
mne nevšímal. Pak přišel lékař, prohmatal mi
kotník, pohlédl na mne se slzami v očích a řekl:
*„Musíte na operaci, a tady bych vám to ne-
doporučoval."*
V mém případě o nic tak závažného
nešlo. Vím ale, že **model pravdy**, kdy lékař
před svým pacientem netají jeho zdravotní
stav, ať je jakýkoliv, se v zahraničí uplatňuje
mnohem víc než u nás. U nás v nemocnici
vám (debilovi!) někdy odmítají prozradit i to,
že vám dali na tácek acylpyrin.
Třetí důležitá rada pro přežití lékařů
a nemocí je tato:

NEBERTE SI DOKTORA A VŮBEC
NIKOHO, KDO HO MÁ V RODINĚ!

Pak vás totiž nečeká sladká protekce,
ale jen tvrdé pravdy typu: *„Nevíš, co je oprav-*

dová bolest!", *"To nic není!"*, *"Stárneš!"* a *"Taky umřeš!"*.

Někdy se ovšem od příbuzných lékařů nedozvíte vůbec nic. Kamarádka si vzala gynekologa. Asi sedm měsíců jí tvrdil, že má cystu. Cysta se dnes jmenuje Veronika a jsou jí čtyři roky.

V Americe se lidé dívají na doktory se směsicí úcty, závisti, cynismu a nedůvěry.

V Americe se připlácí až dvacet procent ke zdravotnímu pojištění, a když nejste hlášeni u žádné pojišťovny, tak vás jednoduše odpojí od infuze a předají sběrným surovinám.

V Americe všichni dbají o své zdraví, protože je to mnohem levnější než nemoc. A koketování s nemocí je v Americe ta nejlepší cesta k bankrotu.

V Americe být lékařem znamená mít jedno z nejvýnosnějších povolání. A velmi příjemně se dá v Americe stonat jen tehdy, když máte na kontě pár milionů. V Americe je proto oblíbený tenhle vtip:

Svatý Petr stojí u brány a vítá čerstvého příchozího. Právě mu odemyká, když kolem něj prosvíští červené ferrari. Sedí v něm muž s vousy, kostěnými brýlemi a v tvídovém saku. *"Kdo to je?"* zeptá se čerstvě příchozí. A svatý Petr odpoví: *"Ále, to je Pánbůh. Jenže si myslí, že je doktor!"*

Liz Taylorová měla devět vážných nemocí a devětkrát se vdala. Při životě ji udrželi její peníze a její milenci.

A proto můžeme hned dvě rady spojit dohromady. Když chcete přežít nemoc, tak...

ZBOHATNĚTE!

A když opravdu chcete přežít nemoc, tak... se vdejte a...

POŘIĎTE SI MILENCE!

Organizace návštěv milenců a manželů u vašeho nemocničního lůžka vám odčerpá tolik energie, že na vážnou chorobu nebudete mít ani pomyšlení, ani čas.

Navzdory lékařským názorům si myslím, že pro přežití je velmi důležité, abyste stonali **viditelně**! Zjednodušeně řečeno:

KDYŽ VÁS NĚCO BOLÍ, ŘVĚTE!

A když vás nebolí nic, tak řvěte taky! Není nic horšího než mít v sobě tolik slušnosti, že neupozorníte na to, že jste si právě prořízli tepnu.

Nejjistější je mít svého lékaře. A jak ho získat?

MĚJTE DĚTI!

To proto, abyste je mohli dát na výběrovou školu a zajistili si tak jejich schopné spolužáky, budoucí lékaře! Ve svém vlastním zájmu proto nenadávejte, když šišatý Jenda pokecá váš vyšívaný ubrus rybízovou šťávou. Jendův pradědeček léčil tetu prezidenta Beneše a je pravděpodobné, že „šišák" Jenda bude ještě geniálnější lékař a zázračně vyléčí zrovna vás.

Francouzský mnich Bernard kdysi vymyslel mazání proti bolení břicha. *„Vezmi dva litry lihu, čtyři drachmy sušených fíků, po pěti drachmách skořice, šafránu a hřebíčku. Užívej. Zachce-li se Pánubohu, pomůže to!"*

Francouzi na prevenci kašlou. Pijí víno, ze všeho nejradši jedí, milují sex, a když je něco bolí, tak do sebe lijí litry minerálky (aby si omyli játra) anebo si vezmou čípek.

Němci stále myslí na prevenci. Jsou přesvědčeni, že nejvíc prevence potřebuje jejich oběhový systém. Proto Němci jezdí na tři neděle na Krétu a proto žijí tak užitečně, že je ostatní národy mají chuť zabít. Zajímavé přitom je, že právě na oběhový systém ještě nikdo nikdy nezemřel. Jen jeden mladý muž, který disciplinovaně užíval tolik léků, že úplně zapomněl jíst!

Můj tatínek pije alkohol, hádá se, řve, jí špek, jitrnice a česnek. Můj tatínek každé ráno tvrdí, že musí konečně začít zdravě žít. Mému tatínkovi je osmdesát devět let! Jasné tedy je, že:

POZOR!
PREVENCE JE ZÁKEŘNÝ VRAH!

Nemysleme proto na diety, na askezi a na své srdce. Je to jen sval a vykoná asi tři miliony stahů za rok. Bez odpočinku, bez dovolené. Když chcete přežít, tak žijte! Bez toho všeho, co vám dělá radost, nebudete totiž žít déle, jen vám to bude déle připadat!

Vztah Rusů k lékařům se dá formulovat jedinou větou:

DO NEMOCNICE NIKDY!

Do nemocnice se chodí jenom zemřít! Lékaři jsou v Rusku placeni ještě hůř než u nás a systém bezplatné zdravotní péče tam už taky dávno nefunguje. Ostatně většina ruských lékařů jsou laskavé lékařky. Mají obdivuhodné pozorovací schopnosti, protože nemají zdaleka tolik přístrojů na diagnózy jako jejich západní kolegové. V Rusku mají málokde fungující rentgen, málokde mají všechna světla v operačním sále a traduje se, že jeden lékař musel jít sám do lesa a naštípat dříví, aby svým pacientům vyrobil dlahy.

Má poslední rada je velice prostá. Když chcete přežít nemoc, tak...

NEMĚJTE STRACH!

Nemůže se vám stát nic horšího, než že přijde smrt!

A umřít, to přece není nic jiného, než přejít na stranu většiny.

Jak přežít
zradu

Pamela chodila s Osvaldem a ten odjel do Kanady za prací. Pamela strašně plakala a slíbila Osvaldovi, že počká, až se vrátí, anebo že za ním přijede. V každém případě mu ale zůstane věrná. Za osm měsíců dostal Osvald v Kanadě dopis: *„Milý Osvalde, už na tebe nemohu dál čekat, syn majitele autodílen mne požádal o ruku, dal mi auto a briliantový prsten a na svatební cestu spolu pojedeme do Skotska. Prosím, vrať mi mé foto."* Osvald se z toho nemohl dlouho vzpamatovat. Pak se vzpamatoval. Pamele poslal asi sto fotografií krasavic a text: *„Bohužel si nemohu vzpomenout, která vy jste, ale vyberte si svůj obrázek a zbytek mi pošlete poštou. Osvald"* Zrada má historii dlouhou jako lidstvo. Brutus zradil Caesara. Messalina zradila, koho mohla. Shakespeare se svými dramatickými zradami proslavil, český zeman Milota způsobil, že na Moravském poli zabili Přemysla Otakara II. a že doba braniborská byla tak hrozná, že o ní vznikla i opera. Zrada je hnusný čin, ale zrádci, když jsou opravdu profesionálové, mají mimořádně vysoké honoráře. Zrada se dá ale provozovat i v malých, lokálních poměrech a úplně nejčastěji se zrada praktikuje doma. První zrada, která totiž na člověka číhá, je, když ho zradí vlastní rodiče!

Maminka mne nutila, abych šla v Krkonoších na horskou túru. Bylo mi asi pět a už tehdy jsem měla velice špatný pocit z toho, že budu muset ujít do kopce dvacet kilometrů. Má maminka (myslím, že chtěla tehdy nesmírně zapůsobit na svého kolegu učitele Vanýska) ale nadšeně vykřikovala, že se mi to bude líbit a taky že za odměnu, až zdoláme trasu, dostanu sladomléčný drops. Neměli jsme moc peněz, drops se u nás běžně nepěstoval, a taky mi maminka tvrdila, že nemohu jíst bonbony, abych měla pěkné zuby. Představa dropsu mne tedy nesmírně vzrušila a já poctivě šla. Když jsem ušla asi pět kilometrů, dostala jsem bonbon. Cucala jsem a ploužila se dál. Po dvanácti kilometrech jsem na tom byla tak zle, že mi maminka dropsem doslova mávala před nosem, a když jsem po něm chňapla, tak ucukla, popoběhla (dodnes nechápu to množství energie – jedině ten Vanýsek!) a já se štvala dál. Pak jsme byli konečně na Sněžce a já v úžasu koukala na to, jak moje matka, vlastní matka(!), zbytek dropsové roličky velkoryse rozdává našim spoluturistům a jak učiteli Vanýskovi dává hned bonbony dva. Tehdy jsem pochopila, že výraz „krev

108

mé krve" se dá zaměnit i za slova „zrada mé dcery", a jsem od té doby velice obezřetná.

Otec mne mimochodem taky zradil. Trávil se mnou každý rok poslední týden prázdnin v Podkrkonoší a tam mi tvrdil, že musím (prostě musím!) být statečná jako ukrajinský kozák. Ukrajinský kozák měl projevit odvahu tím, že se měl vozit na řetízkovém kolotoči. Na náměstí v Pecce byla tehdy pouť a obrovský řetízkový kolotoč. Dělalo se mi špatně, jen jsem se na něj podívala. Ukrajinský kozák se ale bát nesměl, a tak mne otec posadil na sedačku, slíbil mi – a já mu uvěřila – že to bude nádherná jízda, pak zaplatil kolotočáři dvě kola navíc a já se vznášela asi půl hodiny nad náměstím. První čtvrthodina patří k mým nejhorším čtvrthodinám v životě. Tu druhou si nepamatuju, protože jsem byla v bezvědomí. Když jsem se po třech dnech z mdlob probrala, tak jsem zrovna slyšela otce, jak mé matce vysvětluje, že jsem nemocná proto, že jsem asi něco špatného snědla.

Rodiče své děti nejčastěji zradí, když je na veřejnosti znemožní, když neočekávaně zbankrotují, když si nezodpovědně zemřou a když své dítě porodí do světa, který se mu vůbec nelíbí!

Jedna z vůbec nejčastějších rodičovských zrad je, když z vás rodič vymámí tajemství a pak ho zneužije.

Matka mé kamarádky jednou navodila takovou důvěrnou „holčičkovskou" chvilku a jen tak mimochodem se své dcery zeptala:

109

„A ty už nejsi panna, viď?!!!" A dcera jí s důvěrou řekla: „To víš, že ne!" A její křehká matka-umělkyně jí dala takovou facku, že si dcera překousla jazyk.

Fakt je, že se jí dcerka pomstila. Tahle křehká maminka ji totiž půl roku nato podvedla znovu. Namluvila jí, že pro ni připravila báječné prázdniny se zábavným programem. Teprve na místě pobytu dívenka – bylo jí šestnáct – přišla na to, že ji její ambiciózní matka poslala na odtučňovací tábor. Zareagovala bleskurychle. Ještě tu první noc svedla o dvacet let staršího ženatého tělocvikáře a pak s ním chodila dva roky.

Myslím, že si se zradou maminky hezky poradila adoptovaná dcera herečky Joan Crawfordové. Ta byla nejen známá svou krásou, úspěchem a penězi, ale taky tím, že adoptovala čtyři děti. Když umřela, tak zjistily, že jim neodkázala vůbec nic. Dcera Joan Crawfordové o své drahé matce napsala knihu. Sdělila světu, že všemi milovaná umělkyně ve skutečnosti byla hysterická, sadistická fúrie.

Má první rada zní:

KDYŽ VÁS ZRADÍ RODIČE, VYČKEJTE! A AŽ PŘIJDE VÁŠ ČAS, TAK NAPIŠTE SVŮJ ŽIVOTOPIS!

Zjištěno bylo, že:
Nejčastěji se zrady dopouštějí štíhlé blondýny. Nejčastěji se zrady dopouštějí ma-

110

caté brunety. Nejčastěji zrazují pilné sekretářky. Často zrady páchají zdatné sportovkyně. Nejstrašněji vás vždycky zradí nejlepší kamarádka.

V raném dětství mne zradila matka i kamarádka najednou. Bylo to ve třetí třídě a Renda Hynek byl ve třídě největší krasavec. Všechny jsme ho chtěly. Tak ten Renda udělal seznam svých favoritek, které mají naději na to, aby jim dal Renda pusu. Má přítelkyně Ivana Krákorová obsadila u Rendy druhé místo, já až sedmé. Ivana mne šla doprovodit domů a v euforii mé mamince řekla, jak je šťastná, že se Rendovi líbí, jak první místo obsadila Hanka Vášová a jak je Irena Kolářová u Rendy na seznamu až na místě sedmnáctém. No a pak byla třídní schůzka a moje maminka se dobře znala s paní Krákorovou, Vášovou i Kolářovou a prozradila jim naše tajemství, a hned večer mi volala Hanka, Irena i Renda (maminka znala i paní Hynkovou) a řvali na mne, co jsem to strašného prozradila z našich intimních životů. A nejhorší bylo, že když jsem šla druhý den do školy, tak – byla zima a sníh – celá třída dělala koule a házela je na mne jako na udavače a původkyně všeho zla Ivana Krákorová házela těch koulí úplně nejvíc, že všechno řekla právě ona, se nepřiznala, ale naopak křičela, že já jsem udavač! A Renda mne – udavače – ze sedmého místa odstranil až na potupné místo třiadvacáté, dokonce až za Janičku Husičkovou, která šišlala, šilhala, kulhala a byla nejblbější ze všech.

Nejčastěji se zrady páchají kvůli muži. Většinou stačí ke zradě věta. Například Jana se zamilovala do Petra a požádala svou nejlepší přítelkyni Soňu, aby Petrovi říkala, jak je Jana krásná, chytrá a žádaná. A Soňa si pak s Petrem domluvila schůzku a Janu pochválila takhle: *„Ona teď Jana vypadá fakt dobře. Nikdo by nepoznal, že má na zubech korunky, že si nechala odsát tuk ze stehen a že má silikonová prsa. A Janě to fakt pálí. Občas sice ujede, to když se zamilovala do toho tetovaného Mexičana, ale když se u ní projevily první příznaky, tak hned zašla za specialistou a dneska se naštěstí dá vyléčit i syfilis.“* Soňa nakonec Petra urvala pro sebe. Jana se zhroutila, ale protože ve skutečnosti byla opravdu chytrá, tak počkala pár let, přesně řečeno počkala dvacet let, chodila k Soně pravidelně domů a pomáhala jí a Petrovi vychovávat jejich syna. Měl ji moc rád, říkal jí teto, a protože ve skutečnosti byla Jana opravdu krásná a žádoucí, tak dvacetiletého hocha zblbla tak, že si ji vzal, i když jí bylo pětačtyřicet!

Má rada, když vás zradí přítelkyně, proto zní:

BUĎTE HODNÁ TETA!

Jana pak svým dalším nejlepším přítelkyním vyprávěla, jak zoufalé Soně, která ji prosila, aby synovi nekazila život, s široce otevřenýma očima upřímně říkala: *„Já ho ale* *asi opravdu miluju. Víš, on mi tak strašně připomíná Petra zamlada."*

Nejlepší přítelkyně vás většinou zradí, protože jste hezčí. Nejlepší přítelkyně vás většinou zradí, protože jste ošklivější. Nejlepší přítelkyně vás zradí, protože jste šťastná. Nejlepší přítelkyně vás zradí, protože jste zoufalá. Nejlepší přítelkyně vás zradí, protože se jí váš partner líbí, protože se jí nelíbí, protože si nemůže pomoci, protože za to vůbec nemůže, protože to tak pro vás bude lepší, protože vás má ráda a protože zjistila, že vás nenávidí. Nejlepší přítelkyně vás nezradí (možná) jen tehdy, když budete žít v úplně jiné galaxii.

Nejhroznější zrada je, když vás zradí partner. Když vám po třiceti společně prožitých letech řekne, že to „už tak nějak není ono", a jde si budovat nové hnízdo, kde to bude ono, protože tam bude hospodyňka o třicet let mladší. A vy, zrazená všemi těmi společnými lety, tím jen zdánlivým pocitem bezpečí, zrazená, protože už nejste mladá, volná a atraktivní, zrazená a bez muže, jen s vráskami a únavou, kterou ta druhá ještě nezná, přemýšlíte, jestli zabít sebe, jeho, anebo ji. Manželka Bobittová to vyřešila tak, že svému nevěrnému muži odstranila penis. Stala se slavnou, jeho operovali a on se pak stal ještě slavnější, protože se operace tak povedla, že se z něj stala hvězda pornofilmů.

Moje kamarádka Ilona měla asistentku Vlastu. Té bylo dvacet jedna a hrozně Ilonu obdivovala a pořád jí lichotila, jak je dobrá v práci a jak je dobrá doma, a pomáhala jí s úklidem a někdy jí hlídala i děti. Jednou se k dětem připletl i Ilonin manžel a Vlasta ho taky pohlídala a on z toho byl tak nadšený, že se na Ilonu hned vykašlal a odstěhoval se k Vlastě.

Ilona se kupodivu vzpamatovala rychle a rychle reagovala. Vzpomněla si, že její manžel ji jednou představil svému šéfovi, a ten byl čerstvý vdovec a měl hrozně nešťastné a přitom dychtivé oči. Ilona manželova šéfa okamžitě vyhledala. Vzala si mini, dekolt a pak navrhla šéfovi, že když je taky tak sama, že by tedy mohli... a mohli! A skončilo to svatbou. A Ilona úžasně dirigovala svého nového muže-šéfa tak, že ten terorizoval a ničil v práci jejího bývalého muže, a ten byl tak vynervovaný, že mladá Vlasta nevydržela ten jeho vnitřní tlak, a když Ilonin NOVÝ manžel bývalého manžela z práce vyhodil, tak ho z bytu vyhodila taky.

Má rada proto zní:

UTĚŠTE SE SE ŠÉFEM!

Jednou jsem slavila narozeniny a měla jsem tam přítele. Čerstvého. Byla jsem moc zamilovaná a můj přítel nebyl. (Už jen to je zrada!) A u záchoda se líbal s nějakou ženou. Tehdy jsem tak nějak intuitivně začala předstírat, nejen že o něj tak moc nestojím, ale že stojím o jednu mou přítelkyni. Že jsem lesbička. S kamarádkou jsme se držely za ruce, hih-

114

ňaly se a dávaly si jemné polibky do vlasů. Nešlo nás přehlédnout. Partnera to rozrušilo. Hned měl pocit, že by se mohl přidat – do tria. Jeli jsme k němu domů. Kamarádka, já, on. Sliboval si úchvatné věci. Nedostal je. Ještě jsme ho chvíli dráždily a odmítaly a pak jsme ho opily, a pak jsme mu vzaly peněženku, měl v ní asi dvě stovky a občanku a řidičák, a napsaly jsme mu: „Za hříchy se musí platit!" A to je fakt!

Jednou jsem zradu zažila v jedné redakci. Noviny tam měnily majitele a ti noví majitelé se chovali dost hrozně a my – staří redaktoři – jsme se dohodli, že je vypečeme a dáme jim výpověď. Pak začala schůze. Noví majitelé blábolili nesmysly a já, přesně podle dojednaného plánu, jsem náhle vstala a řekla: *„To se nedá poslouchat! Dávám výpověď! Jdeme! Teď hned!"* A práskla jsem (přesně podle dohody) dveřmi a rázovala jsem chodbou pryč. Asi za deset minut mi došlo, že kromě mě z té schůze už nikdo nevyšel.

Něco velmi obdobného se stalo mému kamarádovi Jiřímu. U toho to bylo ještě dramatičtější, protože on sepsal petici, kterou všichni podepsali, pak v ní zase své podpisy přeškrtali, pak ho udali a pak ho vyhodili. Ale jemu to prospělo. Založil prosperující firmu a stal se panem Někdo, a když jsem pak Jirku potkala a ptala se ho, jak se má, tak mi řekl: *„Všechny ty zrádce jsem zaměstnal."* Nechápala jsem. A on mi řekl: *„Já si je pěstuju jako – třeba králíky. Dělám si s nima, co chci. A ně-*

kdy jsem (a to mi dělá největší radost) na ně docela hodnej."

Takže když chcete přežít zradu svých kolegů, tak...

SI POŘIĎTE KRÁLÍKÁRNU!

Někdy člověka zrazují věci. Pračka požírá ponožky, výtah se zasekne, auto začne hořet. Člověka zrazuje tělo. Bolí, chřadne, hyne. Člověka někdy zradí osud. Když třeba jeden dobrý muž celý život přemýšlel, jak vymyslet telefon, pak na to přišel, dal to na papír, šel do úřadu patentů a vynálezů a tam mu řekli, že s úplně stejným nápadem tam přesně před dvěma hodinami přišel nějaký pan Bell. Osud zradil i mou tetu Mariku. V devatenácti její láska Ivan odjel do Austrálie a ona měla přijet za ním. Čekala na zprávu od něj šedesát let a nevdala se. Až v roce 1998 dostala dopis odeslaný v roce 1949, že na ni Ivan věrně čeká. Teta Marika nikam nejela, bylo jí sedmdesát devět, „její" Ivan už byl jedenáct let mrtev!

Někdy člověk zradí sám sebe. Pak je mu blbé se na sebe dívat do zrcadla, pak je mu vůbec tak nějak blbě.

Můj otec byl z mnoha dětí. Když jim zemřeli rodiče, tak se dohodly, že dům zdědí jedna dcera a ostatní sourozence vyplatí tak, že jim dá tisíc korun. To bylo asi v roce 1951. Stalo se. Pak přišla restituce a zjistilo se, že dědeček měl ohromný majetek. Ten všechen zdědila podle právoplatné smlouvy právě ta

116

jediná dcera. Sourozenci byli v roce 1951 řádně vyplaceni. Sourozenci ale nebyli v roce 1992 spokojeni. Šli proto k právníkovi a ten jim řekl, že zákon o dědictví stále platí a že se podle zákona nedá nic dělat, že dělení majetku je jen na té jediné dceři a na jejím svědomí. A svědomí té jedné dcery jí opravdu nedalo spát. A tak se rozhodla a zhruba za pět milionů korun dala zrenovovat dědečkův oblíbený kostel. A to je naše poslední rada. Když máte pocit, že jste zrádci, tak – pro jistotu –

PODPLAŤTE PÁNABOHA!

Zrada se dá přežít. A docela obstojný způsob je, když myslíte na pomstu. Pak je ovšem dobré vědět, že nejlepší pomstou pro toho, kdo vás zradil, je, když se máte dobře. Takže – mějte se dobře! Mějte se dobře! Mějte se dobře!

Jak přežít
učitele a školu

Na střední škole jsem se neučila dobře. Lépe řečeno – učila jsem se strašně. A má třídní učitelka měla dojem, že jsem beznadějný případ. Že jsem beznadějně blbá, ale protože jí mé matky bylo docela líto, tak jí jednou na třídní schůzce s takovým dost falešným úsměvem a taky velmi pohrdavým podtónem řekla: *„Paní doktorko, měla byste ji z našeho gymnázia odhlásit, vždyť ona nemusí nic vystudovat, vždyť ona z ní může být třeba televizní hlasatelka."*

„Kdyby nebe vyslyšelo všechny dětské modlitby, nezůstal by na světě ani jeden učitel." Takhle zní perské přísloví a já si myslím totéž.

Má první rada pro přežití chvil, kdy se máte vzdělat, zní:

NETĚŠTE SE!

Vždycky když nějaký chlapeček nebo holčička ve čtyřech letech nosí aktovku na zádech a chlubí se, že už umí psát a že už brzy půjde do školy, tak mám chuť nemilosrdně zařvat: To víš, že půjdeš do školy, a to si piš (když to umíš!), že tam budeš trpět!

Holčičky a chlapečkové se do školy většinou těší, protože si představují, že v ní budou mít hodnou paní učitelku, že v ní budou mít báječné spolužáky, a že v ní budou mít úžasné zážitky.

Holčičky a chlapečkové pak ve škole většinou mají strašné učitelky, příšerné spolužáky a děsivé zážitky.

Pro mne byla škola takovým zážitkem, že jsem od svých šesti až do dvanácti let každý den ráno přesně v půl osmé zvracela. Šest let mi bylo před vyučováním strašně špatně a šest let mi moje maminka – mimochodem učitelka – tvrdila, že to je úplně normální! Že všechny děti před školou zvracejí!

Teprve až v dospělosti jsem se dostala do ruky psychologa a ten zjistil, že má žaludeční neuróza vznikla proto, že moje paní učitelka v první třídě měla nad levým obočím bradavici a ta se jí zvedla vždycky, když paní učitelka zvýšila hlas. Moje paní učitelka zvyšovala hlas často. (Žaludek se zvedal stejně často.)

Velmi negativní vztah ke škole měl Bohumil Hrabal. Ten měl na střední škole samé pětky z češtiny. (Fakt je, že se nikdy nenaučil interpunkci. A to ho proslavilo.) Jaroslav Seifert, nositel Nobelovy ceny, zase psal svým dvěma vnučkám slohové práce. Jeho nejlepší známka byla čtyřka! O Einsteinovi učitelé tvrdili, že je idiot, Isaac Newton se ve škole nedokázal ani vteřinu soustředit, a tak ho tam matka přestala posílat. A Josefu Čapkovi jednou jeden profesor hodil výkres na zem a zařval: *„Teda Čapku, z tebe malíř nebude!"*

Já jsem svému dítěti chtěla dopřát výbornou školu, a tak nějak, samozřejmě naivně, jsem si v koutečku mysli říkala, že možná mě na té škole bude někdo znát, že třeba, eventuelně, mu budu sympatická a že to dceři prostě pomůže. A tak jsem do té dobré školy zatelefonovala, a tam to vzala paní zástupkyně ředitele a byla velmi slušná, ale zněla dost přísně a já koktala, že tam má moje dcera přihlášku, a paní profesorka mi řekla, že ano, že tu přihlášku mé dcery právě drží v ruce, a že tam čte, že moje dcera má... A v tu chvíli jsem jí skočila do řeči a snaživě jsem řekla: *„Ano, ano, já vím, že moje dcera má velmi špatný průjem!"* Samozřejmě že jsem chtěla říct, že má dcera má špatný průměr. (U mě v pokoji seděla moje kamarádka, a ta když mě uslyšela, tak se začala dusit smíchy, a strašné bylo, že já se taky začala dusit, paní profesorka jako by nic vyprávěla o školních podmínkách a já brečela smíchy do sluchátka, a pak, když už jsem to nemohla vydržet, tak jsem vyprskla a do telefonu jsem zařvala: *„Vidíte! Ona ani nemá po kom být chytrá!"* A sluchátkem jsem praštila.

Pak přišla domů má dcera a já jí řekla: *„Telefonovala jsem ti na to tvoje gymná-*

zium." A dcera s nadějí řekla: *„No a?!"* „Řekla jsem jim, že máš velice špatný průjem." Dcera se na okamžik odmlčela. *„Aha. Takže TAM mě nevezmou!"* A já na to nedbale: *„Asi ne! Ale najdi si nějakou jinou školu a já ti tam zase klidně brnknu!"*

Když chcete zabránit, aby vás rodiče při studiu znervózňovali, tak se řiďte touto další radou:

NAJDĚTE SI NOVÉHO OTCE!

Zažila jsem totiž v praxi, jak můj spolužák na gymnáziu dokázal čtyři roky na třídní schůzky posílat svého kamaráda, který tvrdil, že je spolužákův tatínek. Spolužák vystudoval nesmírně lehce. Jeho kamarád (stal se hercem) předstíral, že je lehce dementní. Byl ale šarmantní. Nosil učitelkám tašky, lichotil jim, jak jsou nádherné, a jednou zašel tak daleko, že starou pannu, která nás učila zeměpis, pozval na rande. Právě proto si můj spolužák vybral zeměpis jako volitelný maturitní předmět. Paradoxně neuspěl. Řekl totiž, že Francie leží na rovníku. Dnes má můj spolužák velmi vysoké postavení. Pravda... velvyslancem není ve Francii, svůj úřad má na rovníku!

Já jsem nesnášela naši tělocvikářku. Nejenže nás nutila (před kluky!) běhat tři sta metrů, ale ještě si nás občas posadila do tělocvičny na žíněnky a popořadě nám říkala, co si o nás **doopravdy** myslí.

Mně třeba řekla: *„Máš těžký spodek, ale to se občas někomu líbí,"* a tím mne poznamenala pro všechny budoucí milostné vztahy a taky jsem díky ní dokázala, že mě ve třetím ročníku na gymnáziu od tělocviku osvobodili, protože – a na to jsem měla papír – jsem měla alergii na žíněnky!

Mé přítelkyni tělocvikářka řekla, že jí svůj osobní názor radši vůbec neprozradí, že ho ostatně brzo pochopí sama, a mou přítelkyni to tak ztraumatizovalo, že radši emigrovala.

Je proto důležité vědět, že k přežití odporných, sadistických učitelů, je nutná tato rada:

MĚJTE SNY!

Není totiž nic krásnějšího než si představit, jak odpornou tělocvikářku vytáhnete v tělocvičně (s velmi vysokým stropem) na kruzích až nahoru a pak pozvete všechny žáky, které urazila, aby jí říkali tvrdou pravdu tak dlouho, až ji opravdu pochopí.

Má další rada, jak přežít školu, je tato:

ZAMILUJTE SE!

Pro středoškoláky (a hlavně středoškolačky) je milostné vzplanutí často jediným motivem, proč do školy vůbec jdou. Ve čtvrtém ročníku na gymnáziu jsem zašla tak daleko, že jsem se na svou lásku (platonickou, bohužel) chodila dívat po vyučování. To jsem číhala před školou. Chtěla jsem být před učiteli nenápadná, ale zároveň jsem musela upoutat spolužákovu pozornost. Má touha většinou vítězila nad ostražitostí a já pak měla velké problémy s docházkou. Moje maminka – učitelka – to těžce nesla, tak se spřátelila s jednou paní doktorkou, která měla stejně slabomyslného syna, jako jsem byla já, a toho zase právě učila moje maminka. Moje maminka ho nenechala propadnout a paní doktorka mi zase napsala omluvenku na mých asi dvě stě padesát (jinak neomluvených) hodin. Udělaly bártr. Tehdy to slovo ještě nebylo moderní, ale moje maminka s paní doktorkou absence svých dětí úplně normálně probártrovaly! Tehdy se má třídní učitelka podívala na omluvenku, jak údajně těžce jsem byla nemocná, pak koukla na mou matku a pak pravila: *„Obě přece víme, že to není pravda!"* A v mé mamince se tehdy probudil duch vystudované doktorky práv a řekla mé třídní učitelce tvrdě: *„Chcete snad říct, že jááá lžu?!"* A pustili mne k maturitě!

Vždycky jsem záviděla klukům, kteří se inteligentně zamilovali do zdravotních sester. Od těch se báječně dostávaly omluvenky. Jeden můj spolužák jednou při písemce z matematiky nepočítal příklady, ale jen pořád něco kutil pod lavicí. Bylo mu úplně fuk, že čas plyne a on nevypočítal vůbec nic. Spolužák měl totiž na hodinu vypůjčené razítko z transfuzní stanice a tiskl ho na všechny papíry, které u sebe měl. Pak nám papíry s razítkem prodával za třicet korun, my všichni chodili dávat krev jako šílenci a spolužák byl nadšen, protože měl sice pětku z písemky, ale moc dobře si spočítal, že mu to stojí za to. Dnes je můj spolužák ještě bohatší, je generálním ředitelem jednoho z největších průmyslových podniků a s razítky na bianco papíry má pořád velký úspěch.

Mí rodiče dost často jezdili do lázní. Mí rodiče byli přesvědčení, že k nim mají v koupelích úctu, že je dobře masírují a že jsou rehabilitační pracovnice srdečné jenom proto, že můj tatínek i maminka mají vysokoškolský titul. Mí rodiče proto chtěli, abych i já vystudovala práva. Mí rodiče na mne měli (a mají) velký vliv, a tak moje další rada zní:

MĚJTE DOKTORÁT!

Jinak totiž budete v lázních vyřízení! A nebojte se, že na doktorát nemáte dost dobrou hlavu! Na Aljašce totiž můžete dostat titul, když vystudujete univerzitu vaření, v Austrálii existuje vysoká škola pro profesionální rýžovače zlata, v Americe je velmi přísná fakulta pro uklízečky a v Japonsku můžete za čtyři roky dostat titul za přípravu čaje! TAK!

Já jsem toužila, aby můj syn uměl dobře francouzsky. Nenávidí francouzštinu. A když jim měnili učitelku, tak prý s největší (téměř francouzskou) nonšalancí řekl: „Nebylo mi nikdy větším potěšením se s někým rozloučit."

Z dcery jsem chtěla mít vědeckou pracovnici. Nevypadá to na to. Tuhle řekla, že druhá světová válka skončila zhruba uprostřed století, a nechápala, proč to chceme vědět přesně. Taky se zeptala, jestli za komunismu už existovala auta, a když jsme se s mužem hádali, po kom je tak blbá, tak řekla: *„A existuje nějaké město větší než Brno?"*

Má další rada, jak přežít učitele, zní zpupně:

NEVĚŘTE JIM!

Můj bratranec se šíleně bál maturity. Nejvíc předmětu, který mne fascinoval svým názvem – BETON.

Bratranec ale nakonec zodpověděl všechny otázky, všechno vypočítal a byl strašně nadšený, když skončil. Předseda maturitní komise se tehdy zeptal: *„Co to máte tady na ruce?!"* A bratranec mu nadšeně, bezelstně odpověděl: *„To jsou jenom vzorečky!"* a ukázal dlaň popsanou taháky. Z betonu dostal pětku, maturitu opakoval na podzim a tvrdil, že pedagogy mrzkým výrazem přesvědčoval o tom, že je dobré, aby byl jako všichni učitelé odporný padouch!

Na základních školách učí přes šedesát tři tisíc žen a jen sedm tisíc mužů. Mimochodem – můj otec chodil s mou maminkou devět let, tvrdil jí, že všechny učitelky jsou slepice a že on si učitelku nikdy nevezme! Moje maminka proto bleskurychle vystudovala práva. Otec pak měl pocit, že zvítězil, a byla svatba. Můj otec ale nezvítězil. Mamince je dnes skoro osmdesát a je učitelkou pořád!

Má rada poslední je pro přežití nejdůležitější:

**NIKDY NEZAPOMEŇTE,
ŽE KAŽDÝ UČITEL – JE JENOM ČLOVĚK!**

A že jako každý člověk má své touhy, své problémy a své děti!

Moje maminka byla jednou ze školy a z žáků tak vyřízená, že jsme nastoupili do tramvaje a ona po několika minutách rozčileně – na celou tramvaj – zakřičela: *„Ticho tady bude!"*

A bylo.

Jak přežít
pubertu svých dětí

Žabička s Beruškou a jinejma roštěnkama se včera zkalily v Ještěrce. Pak jim dali týpci chalku a šly na čilaut, všechno tam strašně rozebraly u hubiček a teď jsou děsně zaseklý do jednoho squatera, protože byl fakt hustej!

Nerozumíte mi? Opakuji jen to, co mi včera v noci řekla moje dcera. Mé dceři je osmnáct let.

Teď udělám lehký překlad. Žabička a Beruška jsou kamarádky. Mají něžné oči a něžné obličejíky, obrovské černé boty jako stavební dělníci, obrovské kalhoty jako pracovníci metra, bundy jako vězňové na Sibiři, trika odrbaná jako obyvatelé Bronxu a hlasy jako vyžilé barové zpěvačky.

Žabička a Beruška jsou **roštěnky** – to znamená, že jsou to přitažlivé dívky pro **squatery**. Squateři jsou nájemníci (většinou nelegální) polorozbořených domů, ve kterých bydlí proto, že mají hnusně komerčně zaměřené rodiče. Roštěnky se **zkalily**, v překladu znamená, že se dívky bavily v **Ještěrce**, a to je podnik, kde se **typci** – to jsou chlapci s kohouty do půlmetrových výšek a s dredy, které vznikají z vlasů tak, že si je půl roku nemyjete – scházejí. **Chalka** je dobré jídlo, **hubičky** jsou omamující houby lysohlávky, a když je někdo **zaseklej**, tak to v praxi znamená, že někoho miluje, a lásku si nejvíc zaslouží ten, kdo je **hustej**, protože ten je prostě krásnej, a často je to proto, že je **propíchanej**, a to vypadá tak, že je prostě **propíchanej**! Náušnicemi, špendlíky a kroužky prakticky po celém těle.

Jo! A **čilaut**, to je takový mejdan, kde se hraje pomalá hudba. A na čilautu jsou většinou všichni **boží** a taky v pohodě. A většina matek a otců těch, kteří jsou na čilautu, v pohodě není, a to proto, že nechápe, že jejich ratolesti milují **humus** a nechtějí chodit do **ústavu** (většinou to bývá gymnázium), kde je učí **kreténi**.

Děti v pubertě lžou, kradou, fetují, myslí si, že jste senilácí, jsou pořád doma, anebo tam nikdy nejsou, nemyjí se a pořád okupují koupelnu, mají strašné kamarády, nejedí nic, žerou, vyhrožují sebevraždou, vzkaz by vám nevyřídily ani za zlaté tele a rozzáří se, jen když mají telefon.

Betty MacDonaldová měla báječný nápad, že nejlepší by bylo puberťáky poslat do penzionátu a přijet si pro ně, až jim bude třicet.

Abychom vůbec **přežili**, že naše děti

bydlí s námi v jednom bytě, je nezbytné řídit se následující radou:

NIKDY SE JICH NA NIC NEPTEJTE!

Má kamarádka se tuhle naivně zeptala své dcery, kdy skončila první světová válka. Dcera odpověděla, že někdy v roce 1966. Můj kamarád se zeptal svého syna, proč si tvář propíchl sichrhajckou. Syn mu odpověděl, že proto, že nechce vypadat tak hnusně jako on. A když jsem se já zeptala své holčičky, kde chce bydlet, až nebude mít na nájem, tak mi řekla, že v kanále a že je přesvědčená, že se jí tam bude líbit, protože si to tam hezky zařídí!

Když mně bylo osmnáct, tak v naší třídě byly asi tak čtyři macaté holky, pak tam byly normální holky a pak tam byly dvě hodně štíhlé a dvě, které byly hodně hubené. Nedávno jsem byla na plese jedné střední školy a tam jsem zjistila, že jsou tam jenom strašně štíhlé holky anebo holky strašně hubené. Zeptala jsem se proto dcery, jak je to možné, a ona s přehledem řekla: *„To je přece jasný! Polovina fetuje a ta druhá půlka, to jsou anorektičky!"*

Moje dcera nejí maso, nejí ale taky zeleninu, a tuhle přišla, že nebude jíst nic, co vyrobila firma Nestlé. Když jsem chtěla vědět proč, tak mi zaníceně vysvětlila, že firma Nestlé je nadnárodní korporace, která brání životu drobných domorodců, že mýtí deštné pralesy, a že – teď se moje dcera vysloveně zarazila – nějaký ten jejich vládce v Mexiku vyhlásil, že proto – kvůli Nestlé – bude Mexiko do Evropy dovážet konopí. Nezdržela jsem se a v rámci přátélských vztahů jsem řekla: *„A to není dobře?!"* A dcera mne zpražila pohrdavým zrakem a řekla: *„S tebou se tedy opravdu vážně mluvit nedá!"*

Doma máme s jídlem dcery dost problémů. Moji rodiče nechtějí pochopit, že dcera nechce jíst maso. Moje maminka si pořád myslí, že ji nějak obelstí. Tuhle jsem se ptala, jestli moje maminka něco uvaří, a ona řekla: *„Guláš z kuřecích stehen."* A já jsem řekla: *„Ale to nebude Nataĺka jíst."* A babička na to: *„Ale to není z masa. To bude guláš z kuřecích stehen."* A já zase: *„Ale Nataĺka nejí kuřata."* A babička: *„Ale to bude z kuřecích stehen!"* A já jen mávla rukou, že je to marné, že to prostě moje stará matka nikdy nepochopí, jaké má ta má dcera seriózní námitky, a šla jsem jí uvařit špagety. A pak jsem do špaget dávala různé instantní lahůdky a pak jsem koukla na pytlík a s hrůzou jsem zjistila, že všechno je od firmy Nestlé. A pak jsem se tak bála, že jsem ty pytlíky rozstříhala na malé kousky a vyhodila je. Pro jistotu ne doma ani před naším domem, ale odvezla jsem je do odpadkového koše, který byl v úplně jiné čtvrti.

Má další rada zní:

NIKDY JIM V NIČEM NEODPORUJTE!

Mám velice špatnou zkušenost se zákazy. Má kamarádka své dcerce (měří metr dvaaosmdesát a nohu má čtyřicítku) zakázala, aby přespala u kamarádů. Dcera tam stejně přespala a má přítelkyně si do krvava okousala nehty, pátrala celou noc po městě, kde její drahoušek je, a když dcera přišla, tak se rozhodla potrestat ji tak, že na ni nebude mluvit. Nemluvila na ni týden, pak zaslechla, jak dcera někomu do telefonu tvrdí, že v Plzni viděla sochu Svobody. Kamarádka dostala hysterický záchvat, a když jí dcerka na psychiatrii přinesla chlebíčky, porušila svůj vlastní trest mlčení, protože jí vděčně řekla: *„Děkuji ti.“*

V praxi může vztah dětí k vědomostem vypadat takhle: Nedávno k nám přijel jeden devatenáctiletý mladík z Ameriky. Zeptal se mne, na jakém kontinentě leží Afrika. Chvilku jsem se dmula pýchou, že úroveň našich škol je rozhodně vyšší. Pak jsem jela na natáčení do Bratislavy, a když jsme viděli z dálnice paneláky, tak se má dcera naprosto vážně zeptala: *„Ti Slováci mluví anglicky?“* A pak mi tam jeden člověk, když jsem mu svou krasavici představila, se soucitem řekl: *„Můj synovec má zase tuberu.“*

Má další rada zní:

NIC NEŘEŠTE!

Jedna moje přítelkyně se málem zhroutila, že si její syn nechal namontovat poměrně velkou náušnici do penisu. Bála se o jeho zdraví. Syn to stejně provedl a má kamarádka se nakonec neubránila hrdosti nad tím, jak byl její miláček při operaci statečný. Taky nám prozradila, že její syn má teď velký úspěch u dívek (roštěnek) a že má jen jeden problém. Že když je moc velký vítr, tak velký vítr, že hýbe i větvemi stromů, že to syna bolí.

Aby člověk přežil pubertální dítě, musí se o ně přestat bát! A proto:

NEBOJTE SE O NĚ!

Pořád mám strach, pořád vyhlížím z okna a šílím při pohledu na opilce a skiny, a navíc mi přítelkyně vyprávěla, jak ji někdo pronásledoval. Když pak moje holčička přišla tak kolem třetí domů, rozčileně jsem jí řekla: *„Prosím tě, to přece nemůžeš, takhle chodit po nocích, co kdyby tě někdo přepadl!"* A moje dcera na to přezíravě řekla: *„Prosím tě, podívej se, jak vypadám, proč by mě měl někdo přepadávat."* Moje dcera vypadala, že má oblečení z kontejneru (mimochodem tenhle typ oblečení přijde na strašné peníze), a tak jsem tak nějak paralyzovaně řekla: *„No, ale co kdyby to byl nějakej narkoman?!"* A má dcera mávla rukou: *„To ne! Narkomany přece všechny znám!"*

Dcera mé kamarádky měla tuhle slavit narozeniny, chtěla je slavit dokonce doma, a dokonce dovolila rodičům, aby doma zůstali. Chvilku sice váhala, jestli je má zamknout v pokoji a na záchod je pouštět, jen když jí zavolají na mobil, ale nakonec jim povolila, že se jejím kamarádům mohou představit. Nejdřív oblékla otce: různě mu kreativně sežvejkala košili, půjčila mu svůj černý svetr, zrušila mu na kalhotech puky. Pak se zaměřila na mou přítelkyni – svou matku. Různě ji cuchala, cpala ji do sukně a hned zase do kalhot a pak vzdychla a řekla: *„A nemohla by mi před nima dělat matku teta Helena?!"* Helena je mladší sestra mé kamarádky, a ta se zděšeně zeptala: *„A proč?"* A dcera úplně vážně odpověděla: *„Ta přece jen vypadá trochu líp!"*

Jedna má přítelkyně měla dceru a ta měla krysu. To je teď velice moderní. A chlubila se tou krysou a nosila ji do školy a schovávala si ji tam pod mikinu. Poměry na školách jsou často takové, že nám připomínají náš vlastní pubertální vzdor, a tak když dcera přinesla ze školy poznámku s textem: *„Vycpává si prsa krysou,"* mé kamárádce to nedalo a do žákovské knížky napsala: *„Nevěřím. Nemá to zapotřebí!"*

Má dcera na můj nesmělý dotaz, co chce dělat, suverénně odpověděla: *„Hladovět!"*

A z toho vyplývá má další rada: Když chcete přežít, tak...

V NIC NEDOUFEJTE!

Smiřte se s tím, že když naříkáte, že díky dětem skončíte v ústavu, odseknou vám: *„Měli jste si mě vychovat líp!"* Smiřte se s tím, že když si postesknete, že máte strach, jak se jim bude žít ve stáří, že vám brutálně řeknou: *„To ti může bejt fuk, to budeš přece mrtvá!"* Pochopte, že vaším jediným rodičovským úkolem je své děti milovat. A proto:

MILUJTE JE!

Milujte je přesto, že jejich boty (všechny ty zdevastované děti mají martensky, které stojí přes čtyři tisíce) vám zničily vaše parkety, přesto, že děti nikdy nevynesou odpadky a rafinovaně si je nahromadí ve skříni, přesto, že tuhle děti vzaly igelitovou plachtu, naházely do ní všechny vaše potraviny a objevily se až za tři dny. Milujte své děti a **nenápadně** se snažte, aby byly v teple, syté a věřily, že díky vaší lásce je v životě nemůže nic špatného potkat. Milujte je! Jsou to **vaše děti,** a je velmi pravděpodobné, že až budou dospělé, budou stejně dobří a stejně špatní, jako jste vy!

Ještě vám řeknu staré perské přísloví. Z něj pochopíte, že ve svém údělu nejste sami, a že nic, vůbec nic, se nedá brát vážně, protože:

Děti jsme porodili, k ničemu se nehodily!

Jak přežít
kariéru

Jedna dívka skončila dramatickou konzervatoř a nesmírně toužila stát se vynikající herečkou. Získala angažmá v divadle v Pardubicích a začala její slibná herecká dráha. První role, kterou dostala, byla ve hře „Maryša". Dívka měla hrát Maryšu. Byla rozhodnutá dát do svého hraní úplně všechno. Pak byla premiéra. Hrála s nesmírným nasazením. Pak na pódium vstoupil Maryšin otec. *„Co děláš, Maryšo?"* zeptal se. A Maryša řekla: *„ŠUKNI SI! ŠUKNI! Tatínku."* Obecenstvo začalo řvát smíchy a dívka se rozplakala.

Ta věta, kterou měla herečka říct, správně zněla: *„Šiju si sukni, tatínku."*

Moje maminka byla nesmírně ambiciózní. Nejdřív ze mne chtěla mít baletku. V mateřské zaslepenosti má maminka nepostřehla, že prostě nejsem ideálně stavěná pro kariéru baletky. Chodila jsem do baletu k paní Aubrechtové. Hodiny vedla i její dcera a já jsem dostala tehdy černý trikot a takové straš-

135

ně divné masově růžové tlusté punčocháče s tlustým švem. Samozřejmě že mi byly těsné, samozřejmě že jsem vůbec nevypadala jako baletka, nejpříhodnější výraz pro můj zjev byl maceška. Ne kytka. Takový ten buřtík z métského salámu. Baletní pozice chodidel jsem se jakž takž naučila. Krize přišla, když jsme měly dělat přemety. To paní Aubrechtová (kdysi tančila v Národním) se svou dcerou každému děvčátku připjaly k pasu řemen, od řemenu vedly dva kožené popruhy. Ty držely dámy Aubrechtovy pevně v rukou. Holčičky se pak rozběhly, mocně se odrazily, skočily a udělaly salto. Taky jsem se rozběhla, taky jsem se mocně odrazila. Dokonce tak mocně, že mne tanečnice Aubrechtovy neudržely, já se v přemetu vymrštila, ony taky a pak jsme se asi hodinu všechny zhmožděné válely po podlaze. Teprve pak má maminka pochopila, že mi balet extra nejde, a přihlásila mne na krasobruslení.

Tam jsem skončila, když jsem při závodech srazila ze židle na led předsedu poroty. Taky jsem zpívala. V dětském Kühnově sboru. Zpívala jsem tak falešně, že mne paní profesorka Kühnová mlátila ukazovátkem. Protože má maminka jí ale slibovala, že se polepším, tak mne paní profesorka nechala chodit na koncerty, jen jsem jí musela slíbit, že nevydám ani hlásku a budu pouze naprázdno otvírat pusu.

Po zpívání na playback mne maminka zatáhla do tělocvičny a tam se rozhodla, že mne naučí šplhat po provaze. Po tyči jsem šplhala výborně. Na provaze jsem visela jako shnilé jablko, nikdy jsem se neposunula ani o píď a dospěla jsem tam jen k přesvědčení, že už se masakrovat nenechám. Bylo mi šest, když jsem měla od lana rozedřený nárt a přišla jsem na svou první radu, jak přežít kariéru. A má první rada zní:

NIKDY NEŠPLHEJTE PO LANĚ!

Od plánů svých rodičů jsem se odchýlila v okamžiku, kdy jsem měla za sebou střední školu a rozhodla jsem se, že se budu živit sama a že svou péčí a obětavostí zachráním lidstvo!

Lidstvo jsem zachraňovala v Jedličkově ústavu. Tam jsem chtěla pomáhat dětem. S dětmi jsem neměla potíže. Ale líbil se mi tam jeden lékař. Taky jsem se mu trochu líbila. Noční služby byly pro mne proto velice vzrušující. Ten lékař byl nejen hezký, ale byl taky dobrý doktor. Velice lpěl na tom, aby měl v ordinaci pořádek. A jednou se na mne podíval tak, že jsem se celá roztřásla, a jak jsem se tak třásla, tak se mi na sesterně povedlo rozbít všechny teploměry. Hysterickou rychlostí jsem sbírala střepy, metla jsem je pod topení a pod divan a pak za mnou doktor přišel. Vrhl se na mne, vášnivě mne líbal... mimochodem na sesterně byla televize a zrovna dávali přenos z pohřbu politika Andropova. Byl tam takový špatný obraz, všechno bylo divně zelené, a zrovna když Andropovova rakev nemilosrdně tvrdě žuchla do země, tak mne doktor ve víru touhy srazil k zelenému linoleu, zařval bolestí, protože si do ruky vrazil dva centimetry skla, a s hrůzou zíral, jak mu do rány sklouzává kulička jedovaté rtuti.

Má druhá rada pro přežití kariéry zní:

NEZACHRAŇUJTE LIDSTVO!

Taky jsem zazářila, když jsem dělala brigádu na Barrandově. Pan profesor, který mne měl rád a byl přesvědčen, že právě brigádou mohu zahájit slibnou kariéru scenáristky, mne doporučil do jedné tvůrčí skupiny jako sekretářku. Tehdy v té skupině pracovali spisovatel doktor Kalina a Jiří Křižan a „skupina" sídlila v místnosti ve Filmovém klubu na Národní třídě, velké asi jako koupelna. A do té koupelny vždycky někdo přišel a řekl mi: *„Je tady Signum Laudis?"* A pak někdo telefonoval a řekl: *„Až tam bude Signum Laudis, tak se stavím."* A pak jsem dostala vzkaz, že mám najít Signum Laudis. To Signum Laudis všichni ti lidé tak rychle vyslovovali. Vůbec jsem jim nerozuměla. Vůbec jsem netušila, o co jde. Když chtěli, abych jim řekla, kde Signum Laudis je, tak jsem se horlivě rozhlížela místností a snažila jsem se tvářit neutrálně, protože jsem netušila, jestli je Signum Laudis nějaký pán anebo nějaký neznámý přístroj nebo cizinec nebo něco, co je ve filmu nesmírně důležité, ale mně to ještě nikdo neprozradil.

Signum Laudis byl film. Jmenoval se podle vojenského vyznamenání za první světové války a přišla jsem na to až tehdy, když si jeden zoufalý dramaturg – zoufalý z mé blbosti – sám odemkl jednu skříňku. Tehdy znovu zopakoval, že chce Signum Laudis, a já se ke skříňce sklonila a čekala, až na mne to Signum Laudis vyskočí. Dramaturg vzdychl a hrabal se ve skříni tak dlouho, až vyndal scénář, já uviděla jeho titulní stranu s názvem a bylo mi všechno jasné.

Když jsem chodila na FAMU, tak mne pořád oslovoval takový zvláštní člověk. Byl snědý a neměl všechny zuby. Mluvil špatně česky, tvářil se divně. Pořád říkal, abych mu dala něco přečíst, že by to rád natočil a že má pocit, že by nám to spolu šlo. Vůbec jsem neměla pocit, že by nám to spolu šlo. Tomu chlapíkovi jsem se vyhýbala. Mistrně. Asi za pět let jsem zjistila, že pochybný mladík byl sarajevský režisér Emir Kusturica, že patří k největším světovým filmovým tvůrcům a že právě v Cannes vyhrál svým debutem hlavní cenu.

Má třetí rada, jak přežít kariéru, zní:

VŽDYCKY VĚŘTE SNĚDÝM CIZINCŮM!

Po škole jsme s mou kamarádkou Janou napsaly hru. Měli o ni zájem ve francouzské televizi a probíhala jednání. Jana je velice upřímný člověk. Taky emotivní. A tak se dvakrát stalo, že když Francouzi říkali, co máme ve scénáři opravit, tak se Jana neudržela a řekla: „*To je nesmysl, to my nenapíšeme, nemá cenu s námi počítat!*"

Já jsem pak s Janou měla takovou strašně rozumnou řeč. Vysvětlovala jsem jí, že nám jde o kšeft, že samozřejmě musíme lpět na svých pravdách, ale že i opravdoví umělci musí podstoupit určité kompromisy a že se příště musí víc ovládat. Jana slíbila, že se bude ovládat. Pak jsme se sešli. Francouzi řekli: „*Nelíbí se nám, že v té vaší hře babička pracuje v Pohřební službě.*" Ještě to nedořekli a já jsem vyskočila metr do vzduchu a zařvala jsem: „*Když se vám to nelíbí, tak jste pitomci a jděte někam!*"

Naše hra přesto nakonec vznikla. A proto má další rada je:

PODLEHNĚTE HYSTERII!

Hysterii člověk podlehne většinou, když ho podvedou, když ho okradou a když potká **blbce.**

Já hysterii podlehla, když jsem se poprvé seznámila s mužem, který mne chtěl najmout jako šéfredaktorku časopisu. Nerozuměla jsem mu tehdy. Mluvil anglicky. Z roztržitosti jsem roztrhala vizitku, kterou mi dal, a taky jsem v hotelu, kde jsme se sešli, zapomněla všechny materiály o firmě, do které jsem měla nastoupit. Náhoda hrála roli v tom, že ten muž byl Holanďan a Holanďané jsou velice spořiví. Říká se dokonce, že co Skotovi upadne, to Holanďan zvedne, a já náhodou u sebe měla kartu s dvacetiprocentní slevou právě pro hotel, kde se Holanďan ubytoval. Bezmyšlenkovitě jsem mu ji nabídla, a on přijal ji i mě.

Už jsem v časopisu šest let, a protože se mi tam líbí, tak radím. Když chcete přežít kariéru, tak...

TRHEJTE VIZITKY!

Má dcera mi nedávno řekla, že po žádné kariéře netouží. Že si svůj život představuje tak, že bude žít v jeskyni a bude v ní celé dny ze dřeva vyřezávat lžičky. Podařilo se mi ji nezabít, podařilo se mi neřvat, nejvíc práce mi ale dalo potlačit v sobě touhu vrhnout se k telefonnímu seznamu a najít v něm adresy škol, kde vyučují umělecké řezbářství.

A protože s mou dcerou spolu pořád normálně komunikujeme, tak má poslední rada, jak přežít kariéru, zní:

ZAHOĎTE ZLATÉ STRÁNKY!

Největší kariéru v životě může člověk udělat totiž jenom tehdy, když se sám, aspoň občas, bude cítit šťastný.

Jo! A když jsem před pěti lety začala v televizi, tak si mne vzal jeden kameraman stranou a diskrétně mi řekl: *„Holka, musíš se snažit, takhle by to nešlo, ty totiž hrozně málo mrkáš."*

Tak já se snažím... a mrkám jako blázen!

Jak přežít
přírodu

Když jsem hledala citáty o přírodě, na
šla jsem jen samé patetické věty typu: *Největ
ším majetkem všech je příroda, Kdo nemiluje
přírodu, není člověkem* a *Přírody nám jest dáno k užitku a péči.* Jediný citát, který aspoň
částečně odpovídal mým pocitům a taky mé
výchově, byl kupodivu rým od básníka Hálka.
Zní:

> *„Co s přírodou je v neshodě,*
> *má smrti znak*
> *již na svém čele –*
> *a kletbu ve svém průvodě."*

Můj vztah k přírodě je, navzdory ortodoxním ekologům, poměrně rozporuplný. Asi
proto, že jsem od svých dvou do svých osmnácti let jezdila s rodiči do Podkrkonoší. Jezdili jsme tam za odpočinkem a zdravím a každý den jsem povinně musela jít ráno do lesa
a hledat houby. V lese jsme byli od devíti do
tří, měli jsme hole, vyřezávané ozdobně od
mého tatínka, a můj tatínek měl tehdy teorii,

že žádná houba není úplně jedovatá! Jedli jsme houby, které nedoporučoval ani profesor Smotlacha, vesničané nás od muchomůrek zrazovali, ale můj nekompromisní otec vždycky věděl, co nás čeká. A dával mi neustále informace typu: *„Otrava po téhle holubince se projeví už do třiceti minut, ale u téhle strmělky to nemáme jasné. Tady musíme s prvními příznaky otravy počítat až za dvanáct hodin."* Můj první a přitom velmi intenzivní pocit z přírody byl tedy ten, že jsem v ní každý rok dva měsíce čekala na smrt!

Lidé vůbec nejčastěji vstupují do přírody „za zdravím"! Taky jsem tam párkrát takhle vstoupila. Jednou jsem se napila z horského potůčku, posílil mne tak, že jsem dostala úplavici. Pak jsem chtěla dopřát čerstvý vzduch svému miminku. Když bylo dceři půl roku, tak jsem bydlela na samotě v jižních Čechách, pod námi bylo pole hnojené tak pronikavě, že jsme ze zápachu až plakali, a jednou – to jsme byli v domě jen já, dcera a moje kamarádka s ročním synem – nám asi v pět ráno začal někdo šíleně bušit do dveří. Bály jsme se. Děti brečely. V rukou jsme třímaly sekery a pak jsme v šoku zjistily, že na naše dveře doráží liška. Divné bylo, že tak intenzivně chtěla bydlet s námi. Vzpomněla jsem si, že mi otec jednou vyprávěl, že k němu na palouku na Ukrajině přišla srnka, že mu žrala z ruky a že pak ležel tři týdny v nemocnici a dostával denně obrovské injekce do břicha, protože srnka byla vzteklá. Přítelkyně tehdy vzala hrábě, vyskočila z druhé strany domu z okna a vydala se do vsi pro pomoc. Tam se jí všichni dost smáli, ale nakonec přece jen přijel někdo z družstva. Liška mezitím zmizela. Našli jsme ji u studny. Byla mrtvá a měla vypálené oči. „Někdo" z družstva nás uklidnil, že je slepá proto, že prošla bramborovým, čerstvě chemicky ošetřeným polem. Tím polem, které jsme měli před našimi okny a občas jsme si z něj sebrali „zdravou" brambůrku. Pak se opravdu zjistilo, že liška byla vzteklá, hygienici vystříkali celou zahradu a my jsme tři dny nesměli vycházet ven.

Pak byla má dcera větší a já jsem v zájmu jejího zdraví obstarala chalupu. Byla tak vlhká, že nám rostly v předsíni choroše, a vždycky když jsme přijížděli, tak šel první manžel s lopatou, protože v ložnici bydlela kuna. S dcerou jsme na této chalupě strávili asi pět let a patery prázdniny jsme každých třicet minut šílenou rychlostí pádili z naší zahrady, protože jsme unikali náletu včel. Včelín měli sousedi. Trpělivě nám vysvětlovali, že včely člověka nenapadnou, že jen přes naši zahradu létají za sluncem na jih a že jsou agresivní jen tehdy, když je před bouřkou anebo jsou špatné roky. S dcerou jsme před včelami utíkali od roku 1985 do roku 1989 – to byla špatná léta. Jednou včely naši pětiletou holčičku poštípaly do hlavy. Musela jet do nemocnice, tam byla na kapačkách a pak ji pustili. Měla strašně oteklou hlavu. (Takovým tím způsobem, jakým bývají někdy postižené hydrocefalické děti.) Hlavu měla prostě jako kýbl. Oči jí nebyly vidět a rty měla naběhlé, že nemohla mluvit. Byli jsme s ní na koupališti. Chtělo se mi plakat, když jsem viděla, jak si s ní nechce nikdo hrát, jak před ní děti prchají, jak je má holčička honí a jak jim úpěnlivě říká: *„Ale předevčírem jsme si spolu přece hráli, vzpomeňte si!"*

Pod pojmem návrat k přírodě si mnoho lidí představuje **skromný příbytek, skromné pokrmy** a **zelenou oázu klidu!**

Má první rada, jak přežít v přírodě, vychází z vlastních zkušeností. Zní:

KDYŽ CHCETE V PŘÍRODĚ PŘEŽÍT, TAK PŘÍRODĚ NEOTVÍREJTE DVEŘE!

Když mi bylo asi osmnáct, tak jsme se dvěma přítelkyněmi vyrazily do přírody za dobrodružstvím. Tehdy jsme dorazily někam k Bechyni. Večer jsme byly v hospodě a tam se s námi místní muži nadšeně bavili a doporučili nám, abychom pod širákem přespaly na koupališti. Šly jsme tedy na koupaliště. Bylo na velké louce. Nikde nic. A najednou přišla bouřka. Byla přesně nad námi, obloha byla rudá, hromy obrovské, ohnivě to svítilo. Dostala jsem hysterický záchvat, protože jsem si vzpomněla, jak mi otec jednou vyprávěl, že jeho sestřenice kosila na Ukrajině za bouřky trávu, že do ní uhodil blesk a že byla na místě mrtvá, černá jako eben. Nechtěla jsem zuhelnatět, a tak jsme v kiosku na koupališti vyrazily okno a schovaly se uvnitř. Pak se bouřka uklidnila. Vzápětí se okenice ve stánku rozrazily znovu a byli tam příslušníci SNB. Když totiž „hodní" muži z hospody zjistili, že se v kiosku svítí, tak jim okamžitě dali tip.

Má rada, jak přežít v přírodě – na základě těchto poznatků – zní:

NIKDY NEOTVÍREJTE OKNA!

Mým asi největším přírodním dobrodružstvím byl pobyt v Africe. Jednou jsem se rozhodla, že se pěšky půjdu projít národním parkem k jezírku, kde si lebedí hroši. Když jsme s kamarádem ušli asi kilometr, tak mi najednou došlo, že si vlastně bezstarostně vykračujeme po pěšině, a přitom víme, že v národním parku je zakázáno opustit – třeba jen na vteřinu – auto. Rychle jsme se otočili a vraceli se zpátky. Pak jsme uviděli hada. V Tanzanii jsou velmi rozšířené mamby. Dva druhy mamb. Mamba zelená, ta když vás uštkne, tak jste za vteřinu mrtví. Když vás ovšem uštkne mamba černá, tak si na smrt počkáte dvacet minut. Ten had byla naštěstí zelená mamba. Obrovská jako větev stromu a já si vzpomněla, jak mi můj otec říkal, že jednou viděl film, jak v buši had otevřel tlamu a na ex spolkl celého Japonce. Uklidňovala jsem se sice tím, že Japonci jsou mnohem menší než já, ale myslím, že jsme tehdy s mým kamarádem uběhli světový rekord na pět set metrů.

V národním parku na Cejlonu jsou za-

146

se vyvěšené instrukce o tom, co mají a nemají rádi sloni. Nemají rádi moc barevné oblečení, moc zvědavé lidi, překážky v cestě a úplně nenávidí walkmany!

V přírodě člověka většinou nejvíc zaskočí: divá zvěř, divoké živly a divní lidé.

Byla jsem jednou s rodiči v NDR a tam nás dost zaskočilo, když jsme se rozhodli piknikovat u jezera a přilétlo asi tisíc racků, vzali si naše koláče i housky a s řevem odlétli krást jinam. Dnes prý takhle v Německu řádí asi třicet pět tisíc racků a vysloveně prý pořádají organizované nálety na kempy.

Taky mě zaskočily berušky. V Bulharsku. Když přiletěla první beruška, tak jsem jí nadšeně – bylo mi patnáct – nastavila prstíček a volala jsem: *„Do nebíčka, do nebíčka.“* Pak jsme se beruškami na pláži museli vysloveně brodit, berušky šíleně štípaly, strašně to bolelo a můj tatínek křičel: *„Do pekla s těmi bestiemi! Do pekla!“*

Má další rada proto zní:

KDYŽ CHCETE V PŘÍRODĚ PŘEŽÍT, TAK V NÍ NEVYSTRKUJTE PRST!

Lidé jezdí do přírody nejčastěji: za poznáním, za romantikou a z čirého masochismu.

Já jsem byla jednou v přírodě označena za sadistku. Tehdy jsem se rozhodla svému muži ukázat místa, kde jsem trávila dětství. Bylo to k jaru. Byli jsme v Podkrkonoší. Šli jsme polní cestou. Dost bahnitou. Bahna bylo čím dál víc, a proto jsme se rozhodli, že radši sejdeme na silnici. Na silnici jsme se museli dostat přes potok. Byl rychlý. Můj muž mi ukazoval, že se nemusím bát, že potok nemusím přeskočit. Že stačí, když udělám jen takový větší krok. Já jsem se ale bála. Všelijak jsem na břehu otálela a pak jsem se tak nějak blbě nahnula a do vody mi spadla čepička. Naříkala jsem, protože čepička byla od kamarádky z Ameriky. Mohérová. Manžel gentlemansky běžel po proudu za čepičkou. *„Tady jsou sněženky, chceš je?"* zavolal na mne ještě. Chtěla jsem čepičku i sněženky. Pak můj drahý vzal klacík a obratně čepičkou manévroval. Čepička se zachytla o rákos. Mému muži ujela noha a můj milý byl po krk ve vodě. Měl přitom tak divně vytočené koleno. Zezelenal bolestí. Já zfialověla smíchem. Ležérně jsem (ledabylým krůčkem) překročila potůček a zastavila se až na silnici. Můj muž s obtížemi vylezl na břeh. *„Ještě ty sněženky...,"* zasténal. Pak zmizel. Neviděla jsem manžela minutu, dvě, tři, čtyři. Pak jsem znovu dostala záchvat strašného smíchu. Uvědomila jsem si totiž, že jsme právě v místě, kde jsem v dětství chodila se svým tatínkem a kde mi vždycky říkal: *„Podívej! Tady je bažina! A tak hluboká, že v ní jednou zmizel vozka i s koněm!"*

Nejromantičtější chvíle v přírodě jsou, když někoho hodně milujete, když někdo hodně miluje vás a když se na přírodu díváte z luxusní limuzíny.

Má další rada je prostá:

**KDYŽ CHCETE PŘEŽÍT V PŘÍRODĚ,
TAK SI DEJTE POZOR NA ČEPIČKU!**

Podle mne je největší hloupost tvrdit, že je příroda matka. Matka příroda! Podle mne je příroda **otec**. Přesněji: můj otec! Protože vyhrožuje, ničí, zastrašuje a má vždycky pravdu!

A jen díky „otci přírodě" můžete poznat překrásné scenerie, nezkažené národy a dno své černé duše.

Má poslední rada je nesmírně důležitá:

**KDYŽ CHCETE PŘEŽÍT V PŘÍRODĚ,
TAK POZORNĚ SLEDUJTE OSLA. BUDOU-LI
SE MU TOTIŽ TŘÁST UŠI, TAK BUDE PRŠET!**

Jak přežít
dovolenou

S rodiči jsem bydlela v garsonce do svých deseti let. Často tam s námi bydleli i tatínkovi příbuzní z Východu. Bylo jich tak dvacet. Abychom si od městského mumraje odpočinuli, jezdili jsme každý rok na „letní byt". Letní byt byl pokojík o dvanácti metrech čtverečních. Byl na půdě v Podkrkonoší a žili jsme v něm dva měsíce, protože má maminka byla učitelka a můj tatínek byl důchodce. Šedesát dní jsem spala na kovových rámech dvou sražených postelí, šedesát dní jsem každý den chodila na houby a šedesát nocí jsem měla uši ucpané chomáči vaty a na nich, aby to přiléhalo, jsem měla naraženou gumovou koupací čepici. Můj tatínek totiž tvrdil, že nechrápe. **„Nechrápal"** tak, že jsem nemohla usnout.

Do roku 1989 jsem neměla pas. Myslím – cestovní pas. Pak jsem ho dostala a moje první cesta vedla do Ameriky. Měli jsme tam bydlet u známých, a protože jsme u nich opravdu bydleli, tak má první rada, jak přežít dovolenou, zní:

U ZNÁMÝCH NIKDY!

Většina dovolených začíná plánováním. Plány na dovolenou vycházejí z fotografií, na kterých nelze poznat, že pokoj má jen tři metry a výhled na továrnu. Plány na dovolenou vycházejí z katalogů, kde se neuvádí, že cesta k moři trvá dvě hodiny pěšky rozpraskaným staveništěm. Plány na dovolenou jsou často založeny na příbězích kamarádů, kteří **už tam byli**, kterým se **tam MOC líbilo**, a kteří vás... nenávidí! (Proč by vám jinak neprozradili, že spali ve vlhkém suterénu a že jim každý den servírovali jen lepkavé koblihy a starý sýr?)

Ameriku jsem si představovala jako zemi zaslíbenou. Ameriku jsem si představovala jako mumraj národů, kultur a dramat. V Americe jsem se ocitla ve státě New York v malém (papírovém) okále na venkově, kde nejbližší soused bydlel jen osmdesát kilometrů vedle.

Náš známý se jmenoval Sam. Měl sklerózu, ubytoval nás v kamrlíku, kde nám dal k dispozici děravé (papírové) deky, řekl nám, že na snídani si máme zajít (jen sedm kilometrů) k MacDonaldovi a že nám ukáže diapozitivy ze své dovolené. Sam nám dvě a půl hodiny ukazoval, jak stojí čelem k palmě, k moři, ke kostelu a... k palmě. Pak – druhý den, plná dychtivosti poznat Ameriku jsem se probudila už v šest – a Sam mi slavnostně ukázal americkou zahradu. Ukázal mi, že mu na zahradě roste strom – švestka. Druhý den mi Sam ukázal hrušku. Taky jsem viděla jabloň. *„Hezký, hezký,"* říkala jsem trochu roztržitě, ale těšila jsem se, protože po třešních, rynglích a malinách jsme měli schůzku s dalšími Čechy, kteří bydleli u jiných známých, a měla se nás ujmout dáma, která nám konečně měla ukázat Zemi zaslíbenou.

Na schůzce jsem se dověděla, že ostatní Češi mají za sebou jahodové záhony, karafiáty, skalku a jeden muž (z Ostravy) dokonce magnolie. Pak nám americká dáma ukázala americkou vodárnu. V ní americkou vodu. Pak jsme měli exkurzi v americké odpadkárně a viděli jsme tam americké odpadky!

Lidé si většinou představují: že si na dovolené odpočinou, že na dovolené zkrásní, že se na dovolené seznámí s někým úžasným a že budou mít za sebou chvíle, na které se nedá zapomenout.

Ale: lidé si na dovolené většinou neodpočinou, lidé na dovolené často onemocní, lidé na dovolené většinou potkají takového blbce, jakého zatím neviděli, a lidé na dovolené často prožijí takové chvíle, že jim pak psychiatr poručí, aby na ně co nejdřív zapomněli!

Jedna z mých nejhorších dovolených byla, když jsem jela s rodinou na Krétu. Přesvědčila jsem manžela, že nám stojí za to zaplatit ty strašné peníze, protože uvidíme nádhernou zemi Řeka Zorby.

Zaplatili jsme za čtyři lidi osmdesát tisíc, zemi jsme viděli a sotva jsme na ni vstoupili, tak se začala třást. Na Krétě hned první den vypuklo zemětřesní o síle 6,1 Richterovy stupnice. Byla to první vlna zemětřesení. Průvodkyně nás uklidňovala, ale přitom hystericky trhala hlavou a říkala nám divnou češtinou: *„Když dostanete paniku, tak klidně šup pod stůl! Tam bezpečí!"* Neměla jsem pocit, že pod miniaturními kavárenskými stolky je bůhvíjaké bezpečí, a průvodkyně sama si to asi taky nemyslela, protože občas jen tak pro sebe sykla: *„Oběti na životech nejsou vysoké, to teprve přijde."*

No, a protože se opravdu čekala druhá vlna zemětřesení, tak jsem deset dní na Krétě strávila tak, že jsem stála za osmdesát tisíc mezi dveřmi našeho hotelového pokoje, protože tam byla prý budova nejpevnější. Můj syn chtěl prchat před erupcemi na pláž, protože se bál řítících se skal, má dcera brečela, protože chtěla bivakovat v horách, neboť šílela strachem před vlnou tsunami.

Má další rada zní:

POČÍTEJTE S NEJHORŠÍM!

Nenávidím, když jsem s někým, kdo má fotoaparát a kameru. Jednou to dokonce došlo tak daleko, že jsem se neovládla – každý výlet jsem trávila postáváním vedle manžela, který fotil a točil, zaostřoval, hledal nejvhodnější pozadí a nutil mne, abych nemhouřila oči, i když jsem stála přímo proti slunci – že jsem na něj zařvala, že když pořád kouká do hledáčku, že vlastně nic nevidí, a můj muž mi řekl – absolutně vážně – že se na všechno koukne v klidu doma!

Má další rada je:

NA DOVOLENÉ NEFOŤTE!

Stejně pak na všech fotkách budete vypadat blbě!

Strašně jsem se bála létat. Ale když jsem jela autobusem do bývalé Jugoslávie a jeli jsme šíleně rychle po všech těch nebezpečných cestách nad roklemi a mořem, a když jsem si všimla, že náš šofér je těžký invalida, a když jsem ho zaslechla, jak v opilosti jedné turistce říká, že mu na životě nezáleží, tak jsem pochopila, že letadlo zas není tak strašný hazard. I když...

Má další rada platí čistě jenom pro ženy:

NEJLEPŠÍ DOVOLENÁ JE DOVOLENÁ S KAMARÁDKOU!

Letěly jsme s kamarádkou do Španělska, a když jsme začali klesat k letišti, tak najednou pilot řekl: *„A teď žádáme cestující, aby si zpod svých sedadel vytáhli a oblékli nafukovací vesty."* Pilot to řekl anglicky a já na kamarádku vytřeštila oči. Pilot informaci zopakoval v němčině. I kamarádka vytřeštila oči. A protože seděla u okýnka a neviděla na ostatní pasažéry, tak řekla: *„Co dělají ostatní? Dávají si vesty?!"* *„Ne! Nikdo nic nevyndavá ani si nenasazuje,"* řekla jsem. Pilot informaci o vestách zopakoval ve francouzštině, má kamarádka zaťala prsty do opěradla a řekla: *„Tak už je to tady! Taky ty vesty nevytáhneme. Sice budeme mrtvé, ale neumřeme jako blbci!"*

Vysvětlilo se to tak, že pilot přistával mimořádně z neobvyklé strany (od moře) a bylo (mezinárodními směrnicemi) nařízeno, že mají být vesty v pohotovosti, a z cestujících to nikdo neudělal, protože všichni byli obyvatelé bývalého Sovětského svazu a posádce nikdo nerozuměl!

Má další rada je:

NECHTĚJTE NA DOVOLENÉ NA NIKOHO ZAPŮSOBIT!

Já jsem ohromně zapůsobila na sedm mužů (úžasných) v Africe. Byli to horolezci a filmaři. Chtěla jsem se v buši vyčurat a šla jsem k takové provizorní kleci s čerstvě ulovenými paviány, a tam, protože jsem chtěla zapůsobit, jak jsem sportovně zdatná, jsem vyskočila na zídku a hned jsem z ní spadla, a producent projektu ke mně běžel a na celou buš řval: *„Co se tady válíš jako prase?!"* A opice se držely zděšeně pletiva v kleci a řvaly hrůzou, protože něco takového jako obrovskou bílou válející se ženu v Africe ještě neviděly, a já jsem se v jejich lejnech válela proto, že jsem si tím malinkým skokem zlomila lýtkovou i holenní kost!

Moje kamarádka měla pocit, že nepřežije dovolenou se svou matkou, která se rozhodla ukázat jí architekturu Itálie. Jela s maminkou autem, a protože byly samy dvě a má přítelkyně byla ještě dítě, tak cestovaly s maminčinými známými. Ti jeli jako první, šofér byl zkušený a jel rychle a maminka mé kamarádky úplně šílela, jak měla strach, aby se neztratily, a tak měla oči připíchnuté na poznávací značce auta známých a předjížděla a chvěla se nervozitou, když zadek jejich auta nemohla zahlédnout. A v tomhle jejím duševním rozpoložení se má kamarádka rozhodla, že si vezme pribináček, ale protože maminka trhla volantem, tak kamarádka pribináček celý vychrstla na maminčin nový, cestovní, elegantní a velmi drahý kostým a maminka – s rukama pevně na volantu a očima na SPZ KH 78 13 – zařvala: *„Nenávidím tě!"* a strašnou rychlostí dceru kousla do obličeje tak, že jí pak málem chyběl kus brady!

Kamarádka je už dospělá a k dětem vztah po mamince zdědila, protože když jsme byly na hromadném zájezdu a povídaly jsme si na dece, tak k mé kamarádce přišlo děvčátko a řeklo líbezně: *„Mohu vás chvilku poslouchat, vy si říkáte tak zajímavé věci?!"* A kamarádka na dívenku chvilku civěla a pak řekla: *„Odpal, spratku!"*

Jedna z nejdůležitějších rad je:

MĚJTE NA DOVOLENÉ PENÍZE!

Je blbé jíst paštiky v konzervě, když máte kolem sebe lahůdky, je blbé nevidět klášter, protože se do něj platí vstupné, a je taky blbé, když chodíte po korzu dvě hodiny sem a tam, protože nemáte na limonádu, a připadáte si proto jako trolejbus.

Když mi bylo šestnáct, tak jsem byla v BLR, čtyři kamarádky jsme tam jely. Tři jsme jely stopem, jedna letěla, protože byla nemocná. Té jsme svěřily peníze, abychom je po cestě neztratily, ztratily jsme ale kamarádčinu „bulharskou" adresu. Kamarádku jsme proto v Bulharsku bez peněz tři týdny hladově hledaly. Taky jsme trochu kradly a živily se zbytky a taky jsme jednou utekly z jedné restaurace bez placení a mě chytila taková maličká servírka, pevně mne držela za zápěstí a křičela: *„Zloději! Zloději!"* A jedna má přítelkyně (byla vždycky taková noblesní) úplně vážně řekla: *„Holky, my ji budeme muset zabít!"* (Neudělaly jsme to!)

Když chcete přežít dovolenou, tak...

NEMĚJTE AMBICE!

Nemějte touhu vidět všechny památky světa! Nechtějte zkusit skoky padákem, slalom na vodních lyžích nebo lásku domorodce! Nechte se jen hýčkat samovolným tokem dní, které jste si svou celoroční prací vysloužili.

A tohle je důležité! Když budete mít dovolenou, ať budete na chalupě, ať budete u moře anebo doma, tak nikdy nezapomeňte, že:

ODPOČINEK, TAK JAKO VŠECHNO, KONČÍ ÚNAVOU!

Jak přežít
společenskou
událost

T. G. Masaryk řekl: *„Člověk je tvor společenský."* Murphy řekl: *„Dobře mu tak!"*

Většina z vás určitě o společenských akcích tvrdí, že „si na ně nepotrpí", a taky si většina z vás myslí, že ti, co na večírky chodí, jsou povrchní snobové. Většina z vás ale s povrchním snobem osobně nemluvila, a většina taky ani neví, co řekl spisovatel Honoré de Balzac: *„Člověk nemůže říci nic zlého o lidech, které nezná."* Znát by ale všichni měli, že: Člověk by neměl nikdy jít na večírek s nudným partnerem! Jít na večírek s žárlivým partnerem! A člověk by nikdy neměl jít na večírek SÁM!

Má první velmi důležitá rada zní: Když nemáte s kým jít, tak...

PŘIVEĎTE SI JACKA NICHOLSONA!

Jack Nicholson má totiž vybrané způsoby! Jack Nicholson má totiž smysl pro humor! Jacka Nicholsona má totiž dokonce každý rád!

Spisovatelka Marie Mellerová řekla, že gentleman je muž, který používá kleštičky na cukr, i když je sám. Básnířka Vinnieu Leightová řekla, že gentleman je muž, který se aspoň občas chová tak, jak by se měl chovat pořád. A já říkám, že gentlemanem největším byl Oldřich Nový, a protože už umřel, tak by ho mohl na večírku ideálně zastoupit Ondřej Havelka. Pak by po svém boku musel ale mít opravdovou dámu. A pravá dáma je určitě teta mé kamarádky Šárky.

Má kamarádka Šárka jednou hrozně chtěla zapůsobit na jednom koktejlu. Prudce tam gestikulovala, a najednou se jí rozjel zip a rozevřel na jejích zádech tlamu jako nenažraný krokodýl. Přítelkyně byla asi třicet vteřin skoro nahá, zmlkla a pak ponuře hlesla: *„Já tušila, že je to blbost, když mi teta tvrdila, že si mám vzít šaty ,MALÉ ČERNÉ'."* Teta mé kamarádky jako pravá dáma věděla, že MALÉ ČERNÉ jsou střízlivé, elegantní šaty ke kolenům, které jsou tak univerzální, že v nich můžete jít nejen na společenský oběd, koktejl, raut, recepci, ale že v nich můžete maturovat i umřít.

Jak zní tedy má druhá rada? Společenskou událost přežijete, když...

SI POŘÍDÍTE ŠATY DO HROBU!

Na všech společenských akcích je jedním z nejdůležitějších programů **jídlo**!

V roce 1990, kdy se u nás se společenskými událostmi začalo, se konzumovala hlavně šunka, sýr, uherák a pilo se bílé a červené víno. Pak přišla americká éra. Chroustaly se syrové mrkve, ředkvičky i žampiony. Chroustalo se tak nahlas, že se nikdo neslyšel, a tak přišly na řadu zabíjačky. A teď si představte, že stojíte! Na většině společenských akcích **pořád** (několik – **zdá se vám, že stovky**) hodin **stojíte**, a navíc máte v levé ruce talířek s prejtem, chlebem a jitrnicí a v pravé ruce vidličku, nůž a ubrousek. A co se stane?

Ubrousek vám spadne na zem, prejt vám zajede do výstřihu a vidličkou si vypíchnete oko.

Přesně tohle se mi stalo na večírku v Paláci kultury. Můj přítel byl tak rozrušený z toho, jak jsem nemožná, že si poručil kávu, nevšiml si, že má uvnitř lžičku, a jak se vztekle sklonil k hrnku, tak si tou lžičkou prorazil nosní přepážku!

Nejnemožnější jídlo je to, které nemůžete jíst rukama.

A proto má třetí rada je:

ZMRZLINOVÉ POHÁRY?! NIKDY!

Ještě důležitější než jídlo je na každé společenské akci alkohol. Ne vernisážích se ho nabízí nejvíc. Umělci totiž doufají, že hosté v absolutním deliriu skoupí jejich díla. Navíc: Opilí hosté bývají srdeční. Opilí hosté bývají originální. Opilí hosté se na společenských akcích tolerují, protože skoro všichni vědí, že bez alkoholu by se společenské akce nedaly vydržet!

Notabene – a z toho vyplývá má další rada – když se na večírku nenapijete, tak o vás hned všichni budou tvrdit, že jste vyléčený alkoholik!

Tuhle byla má známá ve výborné restauraci se zahraničními přáteli. Bylo to na dalekém severu Evropy a známá byla nadšená, jak se dokázala vypořádat se vší tou mořskou havětí, jedla syrové ryby, lámala mušle a vydlabávala šneky. Když bylo po všem, tak se s úlevou napila vody s citronem. Pak málem omdlela, když zjistila, že vypila misku, ve které byla voda na mytí zapatlaných rukou. Co z toho vyplývá?

Zásadní rada:

NEPIJTE VODU!

A o čem se na večírcích nejčastěji mluví?

Na večírcích se nejčastěji mluví o jídle. Na večírcích se mluví o nemocech. Na večírcích se mluví o životě!

Jednou jsem byla na mezinárodní recepci a tam mi někdo tvrdil, že slovenský velvyslanec nepřišel se svou novou milenkou, protože ona je známá osobnost. Byla jsem zvědavá, kdo to je, a tak jsem chvíli okouněla a pak se zeptala jedné ženy, kterou jsem z večírků znala od vidění: *„S kým teď chodí ten Mjartan?!"* A sotva jsem to dořekla, tak k nám s úsměvem přistoupil velvyslanec Mjartan a řekl: *„Vidím, že s mou manželkou jste se už seznámila?!"*

Jsem přesvědčená, že nejbezpečnější je, když vždycky budete mluvit výhradně o **sobě**!

A proto:

BUĎTE STŘEDEM SVĚTA!

Nikdy ale není dobré přiznat se, že jste nešikovní, hloupí a že máte smůlu. Vždycky se tvařte, že se chováte přesně tak, jak jste si přáli. Že přesně tak to bylo ve vašem scénáři! Proč? Protože než být blbec, tak je lepší být blázen!

CHOVEJTE SE JAKO ŠÍLENEC!

Zvrhlí organizátoři večírků milují večírky avantgardní! Nejstrašnější jsou večírky na lodích (nelze vystoupit), v letadlech (nelze vystoupit) a u bazénů (skončíte v něm).

Taky jsou příšerné zahradní party. Buď prší, nebo je po dešti a dámy na jehlách jsou zabořené ve velké hlíně až po kolena.

Na zahradní party nedaleko Prahy se jeden muž strašně opil a udělalo se mu tak špatně, že věděl, že už nedoběhne do bezpečí. Pospíchal proto k oknu, hluboko se do něj předklonil a ulevil si. Blbé nebylo jen to, že zvracel. Blbější bylo, že zapomněl, že se pije venku, a zvracel oknem dovnitř!

A proto:

NEVYKLÁNĚJTE SE Z OKEN!

Anglický průvodce společenským životem je rytíř podvazkového řádu a jmenuje se Michael O'Rourke. Ten říká, že když chce někdo uspořádat báječný večírek, je důležité, aby pozval sedm lidí s kokainem, osm holek, co se rádo svléká, deset žen, které se vzájemně nenávidí, hezké lidi, hlučné lidi, Billa Clintona... a Karla Gotta!

A já, protože vím, že se říká: *Příslušníci třídy vyšší milují, když sklo se tříští*, tvrdím: večírek ve svém bytě? NIKDY!

Má osmá rada zní:

RADŠI BUĎTE BEZDOMOVEC!

Víte, proč mají všichni bezdomovci mobily? Protože nikdy nejsou doma!

Má předposlední rada se týká toho, když se na večírku potřebujete zbavit obtížného společníka. Anglická královna Alžběta si vždycky přendá kabelku z levého předloktí na předloktí pravé. Hned jsou u ní bodyguardi a otrapu odvedou.

Co ovšem dělat, když bodyguarda nemáte?

Kohokoliv se ve společnosti vždycky zbavíte, když řeknete:

„Mám tuberkulózu, ale lékaři jsou si skoro jisti, že ji nepřenáším." Takže:

CHRCHLEJTE!

A co vám ještě poradím?

Nemyslete si, že jste lepší, protože nikam nechodíte! Vyražte si v „malých černých", bavte se o počasí a pijte!

NEBUĎTE SNOB! A NETVRĎTE, ŽE SE NECHCETE BAVIT SE SNOBY!

Počkejte, až bude po večírku, a pak si v klidu doma ulehčeně řekněte: Je krásné setkat se s tolika novými lidmi! A je krásné mít jistotu, že když jsme je neznali, že jsme fakt o nic nepřišli!

Jak přežít
trapné chvíle

Zemřel mi strýc. Měl pohřeb. Když jsem se dostala na řadu, abych tetě vyjádřila kondolenci, napřáhla jsem proti ní ruku a řekla jsem: *„Gratuluju."*

Když jdete v lese a spadnete na nos, tak zas vstanete. A jste šťastní, že jste si nezlomili nohu. Když máte schůzku s mužem, který by mohl být ten pravý, když před ním vesele vyskočíte z tramvaje a když se před ním zřítíte jak podťatý strom, tak máte pocit, že jste před ním vyřízená na celý život a že takový trapas ještě nikdo jiný nezažil.

Co je to trapas?! Muška černá jako smrt, která může za to, že vám se stala nepříjemná maličkost, která jen díky očím kohokoliv nabyla velikosti vesmíru, vy jste přišli o svou pravou důstojnou, elegantní tvář, a teď máte pocit, že ideálním řešením je – se zabít!

Ten strašlivý okamžik studu si pamatuji už od svých asi čtyř let. Tehdy jsem chodila do mateřské školky. Míša Kauders a Honza Hezoun se každý den prali, kdo mne bude smět odvést do jídelny na oběd. Jednou soupeřili tak náruživě, že do mne strčili, já pomalu padala po zádech pod stůl, sukénka mi vyjela vzhůru, nožičky mi vylétly nahoru a já si uvědomila, že mám na sobě neestetické, bavlněné, vroubkované béžové punčocháče, že jsou mi trochu malé, že mám rozkrok u kolen a že ten velký, bavlněný volný klín musí vypadat strašně. Míša i Honza okamžitě vycítili, že jsem se vnitřně zhroutila, a pak se až do první třídy prali o to, jestli půjdou do jídelny na oběd s Ivankou Kramperovou.

No a z toho – z té malé, dětské historky – vyplývá má první rada:

NEVŠÍMEJTE SI TOHO!

Když jste náhodou na slavnostní večeři se spoustou významných lidí, máte na sobě světlé šaty a polijete si je svíčkovou, tak proboha nemějte slzy v očích a nevysvětlujte každému, že **předtím** jste měla šaty čisté. Když máte na prsou obrovský flek v barvě dětské stolice, tak... se rozhlédněte po místnosti a horečně zašeptejte, že jste před pár lety byli náhodným svědkem vraždy jednoho podnikatele, že pachatele zatím nedopadli a že máte neodbytný pocit, že je právě tady. Je pak vysoce pravděpodobné, že se všichni budou vzájemně podezřívavě prohlížet, a když na vás **pořád** bude někdo civět, tak to asi bude... **VRAH**!

Pořád si myslím, že nevšímat si vlastního handicapu je určitá cesta, jak trapas přežít, samozřejmě ani tahle varianta chování nemusí být ideální.

Možná je proto v některých chvílích lepší řídit se jinou radou, a ta zní:

PŘEHÁNĚJTE!

Když na plese někdo v úvodu řeční a vy se dámy zeptáte: *„Kdo je ten žvaniľ?"*, a když vám dáma odpoví: *„Můj manžel!"*, tak začněte fňukat, že jste společensky nemožná, že jste společenský odpad, že chápete, že vás nikdo nemá rád, že chápete, že vás všichni nenávidí, že se taky nenávidíte a že si radši rozbijete hlavu o zeď! A rozběhněte se proti zdi a je docela možné – POZOR! Jistotu mít nemůžete! – že vás ve vašem sebevražedném běhu někdo zastaví.

Známá je historka s režisérem Krejčíkem. Jel autem a omylem vjel do jednosměrky. Okamžitě ho zastavil policajt, režisér vylezl z auta ven, klekl si na zem a křičel: *„Jsem nenapravitelný viník a žádám pro sebe nejvyšší trest! Žádám popravu!"* A policajta to tak zmohlo, že ho bez pokuty pustil.

Fakt je, že mně se stala velmi nepříjemná věc na plese olympioniků. Dělala jsem tam tehdy rozhovory pro ŽITO a byla jsem unavená. Mluvila jsem velmi dlouho s Emilem Zátopkem a pak jsem se s takovým tím bodrým, moderátorským úsměvem podívala na jeho ženu a řekla jsem: *„A co byste nám k tomu řekla vy, paní Čáslavská?!"* A manželka pana Zátopka suše řekla: *„Já jsem Zátopková!"* A já zrudla, začala jsem se vlnit jako blázen a hystericky jsem říkala: *„Já samozřejmě vím, že nejste Čáslavská, že jste Zátopková, že paní Čáslavská byla gymnastka a vy jste házela..."* A zaboha jsem si najednou nemohla vzpomenout, čím paní Zátopková házela. *„Já prostě vím, že jste paní Zátopková, já prostě... já jsem prostě debil!"* A s tím, už bez otázky i odpovědi, jsem odešla.

Se jmény mám dodnes potíže. Nedávno jsem měla jako hosta ve svém pořadu Helenu Růžičkovou. Už tam byli diváci, už se točilo, já se napřáhla jako principál a zvolala jsem: *„Přichází paní Helenka..."* a pak jsem vynaložila veškerou energii, abych nevykřikla: *„Vondráčková!"* Věděla jsem, že to není ono, ale jméno Růžičková mi na mozek vůbec nechtělo naskočit, zpotila jsem se hrůzou, a pak se mne Bohu zželelo a já po pauze, kterou postřehli jen mí spolutvůrci, ulehčeně vydechla: *„Růžičkovou!"*

Jo! To můj tatínek měl jednou sraz s akademickým vědcem, čekal na něj v akademii, hrozně mu na té schůzce záleželo, a měl strach, aby nezapomněl jméno muže, se kterým měl sraz. Proto si pořád opakoval: Doktor Černý, doktor Černý, doktor Černý. A pak konečně přišel pan doktor a tatínek proti němu zářivě napřáhl ruku a řekl: *„Dobrý den, já jsem doktor Černý!"* A pak bylo ticho a pak ty děsné minuty, kdy musel blábolit: *„Ne, já samozřejmě nejsem doktor Černý, vy jste samozřejmě doktor Černý, já jsem samozřejmě někdo úplně jiný."*

Minule byl v „Rybičkách" Petr Novotný. Nabídl mi, že si budeme tykat. Nadšeně jsem mu k polibku nastavila tvář a řekla jsem: *„Tak jo! Já jsem Petr!"* Co z toho vyplývá?

PŘEDSTÍREJTE, ŽE JSTE ORIGINÁLNÍ!

Četla jsem v jednom německém časopise, že se jedné dámě stalo, že polila kávou svého generálního ředitele. Měl sněhobílou košili a měl před jednáním. Dáma prý hlasitě pravila: *„Oh! Teď se tedy budete muset konečně svléknout! Ostatně... po tom jsem toužila už dávno!"*

Jo! Není nad to, když to někomu rychle myslí! A proto:

CVIČTE SI POHOTOVOST!

Mne fascinovala jedna příhoda v pražské tramvaji. Byl dost nával a přistoupila starší dáma. Stoupla si nad černocha, mladého, který seděl, a když nad ním chvilku přešlapovala, tak se přestala ovládat a začala vykřikovat: *„Žádný vychování to nemá! Ke stáří to nemá úctu! Je to sobecký a ještě to přitáhlo bůhvíodkud! Sedí si to tady, má to bejt v džungli na stromě a ne starý ženský zabírat místo."*

170

A ten černý mladík náhle vstal, ukázalo se, že má celou nohu v sádře, koukl na stařenu a suše, báječnou češtinou řekl: *„U nás v Ugandě takový, jako jste vy, žerem!"*

Hrozné trapasy jsou, když někomu bezděčně svým nemožným chováním ublížíte. Má tchyně jednou potkala svou spolužačku, ta měla dost špatnou výslovnost, potkala ji po třiceti letech a ptala se jí: *„Jé, ahoj, Maruško, kam jdeš?"* A spolužačka Maruška řekla: *„Prrro rrrejži!"* A tchyně tak nějak servilně zopákla: *„Jo, prrro rrrejži!"*

Můj asi nejhorší trapas byl, když tady u nás točil režisér Forman pár scén do „Amadea". Tehdy mne někdo pozval na Barrandov, abych na Formana a jeho štáb nějak zapůsobila. Šla jsem tehdy do produkční místnosti, a protože tam měli moc práce, tak jsem jen plaše anglicky řekla: *„Dobrý den,"* a oni mi tam ti Američané naznačili, že se mám na chvilku posadit. Vždycky chodím v černých věcech, ale tehdy jsem měla na sobě mimořádně bílou pelerínu, abych americky optimisticky zapůsobila. Velmi velkou bílou pelerínu. A plaše jsem si sedla na krajíček křesla. Velmi plaše a velmi na krajíček. Křesílko to nevydrželo. Skoplo mne dolů, zůstalo mi ležet na zádech jako nějaký nepovedený klobouček a nejhorší bylo, že jak jsem měla pláštěnku, tak jsem nemohla manipulovat rukama, měla jsem je pod sebou, zmítala jsem se proto jako stan, kterému někdo zevnitř podtrhl tyč, nemohla jsem se vzepřít, jen jsem se válela a zmítala, pak

171

jsem silou roztrhla pláštěnce švy, strašný zvuk
to byl, a klopotně jsem vstala, nožičku křesíl-
ka, kterou jsem ulomila, jsem diskrétně polo-
žila na stůl, a pak jsem se rozhlédla. Nebyla
jsem už velká bílá žena, byla jsem velká, šedá,
špinavá, roztrhaná žena. Všichni Američané
na mne v úžasu – nikdo se ani neusmál – ci-
věli. Já jsem jim tak nějak šťastně a ledabyle
řekla „*By!*" a šla jsem pryč a musím říct, že na
chodbě jsem se úplně zřítila smíchy nad tím,
jak strašně jsem se znemožnila, ale zároveň
mi bylo jasné, že právě tenhle trapas bude
určitě patřit k mým nejoblíbenějším histor-
kám.

Má poslední rada je:

KDYŽ JSTE SEBEVÍC NA DNĚ, BUĎTE NAD VĚCÍ!

Uvědomte si totiž, že když se opravdu, ale opravdu znemožníte, tak všem lidem uděláte radost!

Jak přežít
s rodiči
v jednom bytě

Maminka mé kamarádky Veroniky byla hypochondr-diktátor. Když jí bylo padesát, tak se Veronika rozhodla, že dá matce konečně otevřeně najevo své city. Vystála dvouhodinovou frontu a koupila speciální „lékovku". Krabičku, kde bylo sedm přihrádek na prášek pro každý den. Veronika na neděli matce připravila velkou ampuli strychninu. K tomu jí dala papírek s textem: *„Spi sladce!"*

My jsme s tatínkem a maminkou do mých deseti let bydleli v garsonce. Pak jsme si výrazně polepšili do jedna plus jedna. Pak jsem si tam přivedla manžela, a když se nám narodila dcera a dostala jsem honorář za svůj první film, přestěhovali jsme se do dva plus jedna. Pak přišel syn a pak byt, kde máme každý svůj pokoj. (A kde je s námi ještě želva, jezevčík, králík a krysa.) Troufám si říct, že jsem svým způsobem odborník na společný byt. Sama doma jsem totiž byla jen jednou. To mi bylo pět a otec s matkou vyšli na chodbu, aby zkusili, zda jsem natolik chytrá, abych neotevřela vrahům. Otec tehdy měnil hlas. Předstíral, že je „strýček", který mi nese čokoládové ježky. Dělal, že je Ježíšek s koťátkem. Neotevřela jsem mu. Neotevřela jsem, ani když chtěla otevřít i má maminka. Neotevřela jsem, ani když oba mí rodiče žadonili, abych je už konečně pustila, že si nemohou odemknout, protože si doma nechali klíče. Dveře od našeho bytu musel nakonec vypáčit domovník Lapaur a mí rodiče se rozhodli, že mi budou navždy dělat společnost. Mohu vám proto sdělit pár poznatků, se kterými musíte ve společném bytě počítat. A počítat musíte s tím, že každý váš den začne **bojem o koupelnu!**

V domácnosti, kde bydlí dvě až tři generace, má koupelna totiž stejný význam jako za války továrna na munici. Každý se chová v duchu Sellersovy básně. Každý chce být uvnitř první, urvat všechnu horkou vodu a nalít do ní všechno, co se dá. Po nás potopa. Vždycky jsem se fascinovaně dívala na koupelny svých přítelkyň, které se osamostatnily, měly ručníky v pastelových tónech, které jim ladily s kachlíčky, a vanu jim zdobily pěny, šampony a krémy. Naši vanu vždycky zdobily tatínkovy staré rozježené (vypadaly podrážděně) zubní kartáčky, staré houby zmačkané do ruličky, vazelína a špalky kamence na zastavení krve. V naší koupelně nikdy nevoněla levandulová sůl, u nás vždycky všechno přebije pitralon a občas z dosahu dětí odstraňuji mističky s babiččiným peroxidem. Skoro denně tahám flašky s gely, laky, esencemi, koupelovými oleji a mléky. Denně ráno stepuji přede dveřmi, za kterými je můj tatínek, můj syn, můj manžel, má dcera, má matka. Tuhle vyšel z koupelnových dveří asi osmdesátiletý tatínkův bratranec. Prudce voněl konvalinkami a na čele měl třpytivé hvězdičky. Stařík si totiž do vany nasypal celou krabičku „zlaté novinky od Diora"!

Jednou jsem šla ke kamarádce na návštěvu. Měla jsem dělat se starým pánem (bylo mu asi devadesát dva let) rozhovor do časopisu. Byla jsem pro něj zcela neznámá novinářka. Cizí žena. Kamarádčin otec mi hned ve dveřích řekl: *„To musíte vidět!"* a okamžitě mne vedl do prvního patra. Tam otevřel dveře a řekl: *„Tohle je pokoj mého syna Tomáše! To je, co? Že jste ještě nikdy neviděla takový bordel?!"*

Když bydlíte s tatínkem, maminkou, manželem a svými dětmi, **tak je často problém, když chcete použít telefon!**

Pořídila jsem si záznamník, ale můj tatínek se k němu pořád vrhal a přes můj hlas, který říkal, že nikdo není doma, řval: *„Ale já jsem doma, co chcete! Mluvte!"* Až jsme stroj (i já) pochopily marnost svého úsilí a zkolabovaly jsme.

Moje maminka si zase pořád plete přenosné telefonní sluchátko s ovladačem na televizi a přepíná tak, že se k nám nikdo nedovolá. Dcera nosí telefon neustále při sobě a zamyká se s ním na záchodě. My pak sice neslyšíme, co vrká do sluchátka, ale světlíkem to slyší celý dům. Můj muž telefon vždycky odloží někam tak rafinovaně, že k nám pak musím telefonovat mobilem, abych zjistila, kde to zvoní. A když si nevšímám syna, tak se s telefonem schová a je dvanáct hodin nonstop napojený na internet. Když k nám někdo volá, tak je většinou nadšen, protože každý, kdo telefon zvedne, je ochotný a vstřícný. Nikdo mi pak nevěří, že vzkaz, který jsem doma dostala, zněl: *„Někdo někdy volal, že máš někam jet a že jde o život!"*

Já se musím nejvíc ovládat, když hledám své věci. Maminka totiž uklízí všechno, co je v dosahu, a uklízí metodou „aby to nebylo vidět". Většinou tak uklízí oblečení. Dcera, já, syn i muž chodíme většinou v černém. Pro matku jsou to všechno „černé hadry". Stejné(!) černé hadry! Když se chystáme ven, tak musíme mít asi tak hodinu náskok, ve kterém absolvujeme takový ten druh hry, která se hraje na letních táborech: „Honba za pokladem" – nebo tak nějak. Černý hadr – třeba moje vesta za šest tisíc – může být totiž uklizen u dcery mezi ponožkami, u syna v prádle, u manžela v tričkách, u dědy mezi nátělníky. Tuhle jsem nemohla najít své džíny. Pomáhala mi hledat i má kamarádka. Braly jsme to systematicky. Neustále jsme napadaly maminku, aby si **vzpomněla(!)**, kam mohla džíny dát. Maminka si nevzpomínala. Tvrdila, že nic neuklízela, a že když nemohu své džíny najít, asi jsem v nich vůbec nepřišla domů! Nakonec jsme kalhoty objevily ve špajzu. Když jsme konečně chtěly odejít, tak se má přítelkyně vyděsila: *„Proboha! Kde je moje černé sako?!"* Už se nikdy nenašlo.

Pro velkou rodinu je typické, že: je tam dominantní dědeček, je tam temperamentní maminka, je tam žárlivý manžel, jsou tam agresivní děti, a když se něco nepovede, můžete za to VY!

Můj tatínek byl vždycky (a je!) poměrně zvláštní, protože si myslí, že všichni máme zálusk na jeho jídlo. Nejdřív si proto pořídil vlastní lednici. Pak si na ni pořídil řetěz se zámkem. Pak jednou nechal zámek odemčený a já jsem mu v nestřežené chvíli stačila z ledničky vytáhnout kelímky se saláty, kterým prošla lhůta už loni. Můj tatínek má taky tajnou skrýš. V té má „lahůdky". Můj tatínek je nesmírně štědrý, a když si to někdo zaslouží, tak lahůdku dostane. Lahůdky jsou ukryty ve štěrbině, kterou tvoří desky našeho rozkládacího jídelního stolu. Tatínek někdy za lahůdky považuje i potraviny, které jsem přinesla na víkend celé rodině. Tuhle jsem utratila asi dva tisíce, a když jsem přišla z představení, tak na mne v naší lednici smutně jukal načatý polotučný tvaroh!

U nás je velký společenský provoz. Za synem chodí spolužáci, za dcerou kamarádi, za dědečkem příbuzní, za maminkou tety a sousedky, za mnou přítelkyně a kolegové. Taky je u nás občas paní, co nám pomáhá uklízet. Často je u nás teta a hodně často někdo z Ukrajiny. Tuhle si děda domů přivedl takového hodného starého pána z Východu, který byl tak šťastný, že není na ulici, že líbal ruku i mému třináctiletému synovi. Další host strávil celé tři dny u tatínka v pokoji. Mimochodem – to byl dřív můj pokoj. Mám v něm skříně se vším oblečením, ale na to tatínek zapomněl a už dvakrát, když šel pryč, si pokoj zamkl, aby se mu někdo nehrabal v dokumentech. Nemohla jsem se pak hrabat ve svých šatech a na koncert Karla Gotta jsem šla v kostýmu od sousedky. Tatínek pánovi tři dny téměř nepřetržitě předčítal s nesmírným citem své básně o ukrajinské přírodě a host musel být v absolutní pozornosti, protože by ho jinak tatínek poslal pryč, a on neměl kde spát.

Neřekli mé asistentce, že jsem doma. Ona seděla v kuchyni, já byla v pokoji. Když jsem se ptala syna, proč jí neřekl, že jsem doma, tak mi odpověděl: *„Ale ona se mě neptala!"*

Někdy se u nás hosté míjejí. To je pak takový šrumec, že do předsíně třeba volám: *„Jdu! Jsem polonahá! Všichni cizí pryč!"* A minule bylo u nás tak nepřehledně, že otec koukl na mne, mile se usmál a řekl: *„Vítám vás, dobrý večer, jak se máte."*

Mě rodiče šokovali, když jsem přišla v noci a zjistila jsem, že v mé posteli spí nějaká žena. Šla jsem proto za manželem, ale v jeho posteli byl úplně jiný muž. Šla jsem za maminkou. V její posteli byla úplně cizí žena a maminka ležela vedle na matraci. *„U tebe je* *teta Bára"*, vysvětlila mi maminka. *„U Zdeňka je strýc Herbert. Zdeněk je v kamrlíku. V předsíni je sestřenice Olga a v komoře je bratranec Karel."* *„Tak půjdu k Natalce,"* řekla jsem. *„Ne!"* vyděsila se matka. *„Ta tam má svého přítele a u Péti jsou dva skauti!"* *„Tak kam si mám jít lehnout?"* zeptala jsem se zoufale. Maminka chvilku přemýšlela: *„Víš co? Jdi do kuchyně a něco chytrého napiš!"*

Takže: Když bydlíte pohromadě, tak občas nemáte kde spát.

Můj domov je charakteristický tím, že si tam připadám jako idiot!

Kamarádky mi často závidí, že babička uvaří. To je pravda. Maminka občas uvaří. Občas taky Natalce, která je ortodoxní vegetariánka, předhodí zeleninové karbanátky. Občas se taky Natalka zeptá, co je v tom karbanátku růžového, a babička často řekne, že to je nějaký lísteček, a když chce Natalka upřesnit, jaký lísteček, tak babička řekne, že to možná není lísteček, a když tedy Natalka chce vědět, co to je, tak babička řekne, že to není uzený, že je to **jenom slanina!**

A když se Petr babičky zeptá, jestli v té bramboračce náhodou nejsou houby, protože je nenávidí, tak babička řekne, že tam nejsou houby, a když Petr vytáhne z polévky tmavý proužek, tak babička zavolá: *„Ale to je přece jenom hříbeček!"*

Tuhle jsem něco psala a babička mi šla nabídnout, že udělala brambory s brynzou. Specialitu. Mám ji moc ráda. Řekla jsem, že za chvilku, jen co to dodělám. Pak jsem hledala v kuchyni. Nic. *„Kde jsou ty brambory?"* ptala jsem se. Maminka řekla: *„No, já je dala sousedce!"* Teď mě vždycky, když tu sousedku vidím, napadne: *„Sežrala jsi mi večeři!"*

Jednou tatínka bolel zub. Seřval babičku. Babička seřvala mě, že moc utrácím. Řekla jsem svému muži, že je budižkničemu. Muž zakázal dceři, aby se vrátila po půlnoci, a dcera roztrhala synovi časopis o počítačích, protože jí ztratil propisovačku. Syn vzal svého plyšového medvídka a utrhl mu uši.

Největší výhodou toho, že bydlíte všichni v jednom bytě, je totiž to, že si vždycky máte na kom vybít vztek!

Pasovala jsem se na odborníka na společnou domácnost. Přesto nedokážu popsat jemné nuance každodenního vzájemného podráždění, každodenní pocit zázemí a lásky. Mám své rodiče opravdu velice ráda. Myslím si proto, že je mohu s klidem pomlouvat.

A jsem si téměř jistá svou první a zároveň poslední radou:

KDYŽ UŽ BYDLÍTE SE SVÝMI RODIČI, TAK JE PROSTĚ MUSÍTE MILOVAT!

Jak přežít
zvířátka

Manžel se vrátil z ciziny a přivezl ženě vzácný dárek. Musel jít ještě něco zařídit na celnici, ale brzo se vrátil domů a hned se zeptal: *„Tak co tomu říkáš?"* *„No, co bych říkala,"* řekla trochu otráveně manželka. *„Zdál se mi na bažanta trochu moc pestrej, ale už se peče v troubě."* *„Proboha! Vždyť to byl strašně vzácnej papoušek a mluvil sedmi jazyky!"* *„A že teda něco neřek!"*

Lidi mají doma – v našich zeměpisných podmínkách – nejčastěji psa nebo kočku. Mezi kočkou a psem jsou obrovské rozdíly. Pes musí chodit na záchod ven. Kočka má soukromou toaletu přímo v bytě. Pes plní příkazy. Kočka neplní příkazy. Pes se strašně naběhá, protože poslouchá na Skoč!, Honem!, K noze!, Ven!. Kočka někdy přijde, někdy ne. Když pán psa odejde, pes teskně kňučí. Kočka jde klidně spát. Pes nemůže šplhat po záclonách. Kočka šplhá po záclonách. Pes má stále svůj základní tvar. Kočka se mění, aby se vešla kamkoliv.

Pes někdy vyje, kočka někdy zpívá.

Když psovi vynadáte, cítí se vinen. Když vynadáte kočce, nehne brvou. Když psa pochválíte, směje se. Když pochválíte kočku, tak... nehne brvou. Proč vám to tak podrobně vykládám? Protože je na každém z nás, aby pečlivě zvolil, koho ke svému životu právě potřebuje. Jestli vzrušující flirt, anebo pevný vztah. Když flirt, pořiďte si kočku, a když už máte doma záletného manžela, tak... A to je má první rada:

POŘIĎTE SI VĚRNÉHO PARTNERA!

Koupit si psa je totiž jediný zaručený způsob, jak získat lásku za peníze!

Vždycky jsme měli nějaké zvíře. Začali jsme křečky, pak jsem měla želvu. Zuzanku. Utekla mi na Slapech, našli ji na druhém ostrově za tři dny. Šílela jsem radostí, pak mi za další tři dny někdo přinesl další želvu. Stejně velkou. Odmítla jsem tehdy výrazně přemýšlet, která je má Zuzanka. Měla jsem Zuzanky prostě najednou dvě. Pak další prázdniny ta jedna – asi ta podvržená – zas utekla – neexistuje nic rychlejšího než želvy – a ta druhá Zuzanka s námi bydlí dodnes – asi čtyřicet let. Je v akváriu a my jí musíme dávat na dno skřipec na vlasy, z kterého visí salát, aby měla pocit, že se prodírá džunglí.

Domácí mazlíčky má člověk většinou proto, že chce, aby ho někdo miloval a doufá, že mazlíček bude lepším objektem sadistických dětí než on sám.

Taky jsem týrala své rodiče tak dlouho, až mi pořídili kolii. Osm měsíců jí bylo, když jsme ji dostali. Venčili jsme ji poprvé večer a pes nic. Hystericky jsme mu zvedali u stromu v parku nožičku. Nic. Pak jsme od majitelky zjistili, že kolie je fena a že nožičku nezvedá nikdy, načež jsme přišli na to, že je to tak citlivé zvíře, že si ulehčí jen tehdy, když má jistotu, že ho nikdo nevidí. Číhali jsme celé dny po parcích a volali na ni: *„Už můžeš! Nikdo nejde!"* To zvíře, musím přiznat, bylo mnohem citlivější než já.

Snad nejkurióznější bylo, když jsme našeho jezevčíka Edu svěřili otci. Edu už máme dvanáct let. Dali jsme ho dceři k narozeninám, když jí bylo pět, Eda byl štěně strčené do krabice s mašlí, a když jsme balíček otevřeli, tak hystericky vyskočil a kousl našeho ročního Petra přímo do obličeje. Pak tedy zhruba po sedmi letech ho šel můj tatínek venčit. Taky byl v zelenině a vybíral tam papriky. Pak přišel a my najednou strnuli. V předsíni nebyl **náš** Eda! Nebyl tam dlouhosrstý, černý jezevčík. Byl tam trpasličí pudl pepř a sůl. A to už na dveře někdo tloukl. Kulatá rozzuřená paní. Za ní zoufale vyl přiškrcený Eda. *„Ukrad jste mi Árona!"* věštěla dáma. *„Kde je můj Áronek!"* Áronek už se k paničce vrhl a nadšeně ji líbal. Náš Eda ležel na zádech a v nervovém záchvatu chtěl, abychom ho drbali na bříšku. *„Zbláznil ses?!"* zařvali jsme na tatínka. *„Zbláznil jste se?!"* přidala se rozhořčená paní. *„Proč jsi přivedl úpl-*

183

ně cizího psa?!" Tatínek trochu pohrdavě pokrčil rameny. *„No proč,"* řekl podrážděně. *„Taky tam byl uvázanej!"* A pak si šel v klidu očistit ty papriky.

Zvíře vás většinou zradí, když to s ním nemyslíte dobře. Zvíře vás zradí, protože to s ním myslíte dobře. Zvíře vás zradí, protože vás zradili už všichni a není důvod, abyste v cokoliv a kohokoliv doufali.

Jednu dobu jsme měli tři kočky. Jednu našel otec v práci, jednu našla moje matka ve škole (byla učitelka) a jednu jsem našla já na dvoře v popelnici.

Popelnice měla nejhorší povahu. Mstila se za své hnusné dětství a nenáviděla našeho strýce Evžena. Ten totiž o ní jednou řekl, že je blbá. Mstivá popelnice byla. Blbá ne. Deset let čekala na to, až strýc Evžen poleví v ostražitosti a své boty nechá lehkomyslně v předsíni. Okamžitě šla a pročurala mu italské mokasíny skrz naskrz.

Má další rada zní:

POŘIĎTE SI RYSA!

Popelnička totiž nejen číhala na Evžena, ale číhala na každého, kdo šel kolem skříně, aby mu mohla jako ten nejdivočejší rys skočit na záda a kousnout ho do krku. Ve škole se divili, proč mám takový divný tik.

Člověk se rozhodne svého mazlíčka zradit, když: nemá prachy, nesprávně se zamiluje, zapomene, že skončí v pekle.

Mně se zdálo poměrně dost dramatické, když jsem jednou točila něco do „Zanzibaru" a měla jsem na krku tlustou krajtu. Byl tam s ní její chovatel a neustále upozorňoval, že je krajta nervózní, protože je v místnosti dost horko. Bylo tam děsné horko. Dost jsem se potila. Pořád jsme to nemohli natočit. Pak se mi zdálo, že mám krajtu obtočenou kolem hrdla nějak jinak. Věděla jsem ale, že můj producent je absolutně bez slitování a že to natočit musím. Mluvila jsem na kameru pořád. Mluvilo se mi, pravda, čím dál hůř a pak byl naštěstí konec. **Musel** být konec, protože už jsem jen sípala. Dva silní muži ze mne krajtu sundali a její majitel měl v očích výraz člověka, který právě získal Nobelovu cenu. S absolutní pýchou totiž řekl: *„Ale že utahovala, potvora, co?!!"*

Má přítelkyně si připadala dost vedle, když svému muži řekla: *„Láďo, musíme okamžitě do porodnice, budu rodit!"* A Láďa – vyhlášený chovatel – byl zrovna nakloněný nad terárium a řekl: *„Musíš počkat. Zmije písečná rodí právě teď!"*

Má rada je proto prostá:

PLÁNUJTE PEČLIVĚ DATUM PORODU!

Veterináři jsou obětaví. Veterináři jsou vynalézaví. Veterináři jsou prý největší děvkaři na širém světě!

Když bylo Petrovi pět let, veterinář dopustil, aby jeho myška každý den chodila se svou kožní chorobou na injekci. Třicet injekcí myška absolvovala. Pak chcípla. Petr hrozně plakal. Mně bylo myšky taky líto. Mimo jiné proto, že jsem si uvědomila, že jedna injekce stála sto osmdesát korun – krát třicet, a že to byla určitě (i když původně za třináct korun ze Zverimexu) nejdražší myška na světě!

Dalšího veterináře milovala má přítelkyně. Bylo jí osmnáct a veterinář měl spoustu milenek. Jednou na něj přítelkyně čekala před domem skoro celou noc. Jako záminku pro návštěvu měla andulku. Půjčila si ji od jiné kamarádky. Tiskla ji k sobě, a protože k návštěvě milovaného potřebovala posilnění, tak pila alkohol. Dost.

K ránu veterinář přišel a přítelkyně k němu napřáhla dlaň. *„Je to akutní,"* škytla. Veterinář jukl na ptáka. Nehýbal se. Přítelkyně se taky soustředila. Pochopila, že ptáček její alkoholické svírání zřejmě nevydržel. *„Tedy bylo to akutní!"* opravila se. *„Pomoc bohužel přišla pozdě."*

Mělo to dohru. Kamarádka, která andulku půjčila, vyváděla. Přítelkyně jí koupila jiného papouška, ale kamarádka jí ho vrátila, že to není její drahoušek. Vrátila však ptáka až po týdnu, kdy uměl perfektně jedno slovo, které řve dodnes, když Helena otevře dveře. To slovo zní: *„Krrávo!"*

Byla jsem v Africe. Vím, že zvířátka nejsou pouze domácími mazlíčky, a vím taky, že někdo na zpupnost pocitu – mne milují všechna zvířata – navždycky doplatí. Můj zážitek ale není z Afriky, nýbrž ze safari ve Dvoře Králové. Pozvali mne tam, abych jim pokřtila malou opičku. **Orangutana**. Byly mu tři měsíce. Měl průjem. Držela jsem v ruce opici s plenkovými kalhotkami, jeho láhev s mlékem, svou skleničku šampusu na křest, mikrofon a snímaly mne na živo rádio i televize.

Připravila jsem si proslov a podařilo se mi ho říct, i když opičátko zoufale vztahovalo ruce ke své pečovatelce a snažilo se mne zlikvidovat. Pak byl konec, já pravila něco jako *„Aby z tebe vyrostl slušný člověk"*, a byla jsem zklamaná, čekala jsem totiž větší odezvu. Ale přítomní nějak moc nereagovali. Vlastně skoro vůbec. *„Nebyli tak nějak strnulí,"* zeptala jsem se syna, který tam byl se mnou. *„Byli,"* odpověděl. *„Hm, tak to nevím, to mě asi nepochopili,"* utěšovala jsem se. A syn řekl: *„Ono taky bylo dost těžký tě pochopit, když jsi celou dobu místo orangutánek říkala brontosauřík!"*

Jedna má přítelkyně se velice styděla, když si pozvala asi dvacet hostů do nového domu. Připravila skvělou tabuli. Obložené mísy, vejce, saláty, losos. Pak najednou s hrůzou zjistila, že jejich kocour sežral asi sedm lososových jednohubek. Jí samotné jíst po kocourovi strašné nepřipadalo, a tak mísy rychle přerovnala, přidala zeleninu na ozdobení mezer a hosté se dostavili.

Pak přišla kamarádka do kuchyně a viděla kocoura, jak se svíjí ve strašlivých křečích a u čumáčku má pěnu. Za chvíli bylo po něm. Kamarádka okamžitě srovnala hosty do řady, přiznala se, že mísu ochutnala před nimi kočka, a všichni odjeli do nemocnice, kde jim všem udělali výplach žaludku. Až po týdnu, po rozborech, se přišlo na to, že se kočka otrávila jedem na krysy a že lososovi nebylo vůbec nic. Bylo jen po elegantní pověsti.

Od té doby se totiž u kamarádky jídla, ke kterému měl přístup kdokoliv, už nikdo nikdy nedotkl.

Za miláčka se člověk většinou stydí, když miláček reaguje přesně tak, jak by reagoval člověk, kdyby se prostě nestyděl.

Má další rada je:

HLÍDEJTE SI ŽRÁDLO!

Všimněte si, je to rada, která se dá uplatnit nejen v říši zvířat.

Nikoho nechci ovlivňovat. Má dcera je vegetariánka. Já ne. Porce masa jím, ale živého kapra bych před večeří mít ve vaně nechtěla. Taky bych nechtěla jíst pašíka Vencu a králíka Jirku.

Má přítelkyně jednou snědla králíka Karla a pak z toho měla takové trauma, že o tom napsala maturitní práci, pak práci, když se hlásila na scenáristiku na FAMU, a nakonec zkoušky udělala zejména proto, že se s komisí vášnivě hádala o to, jestli je vůbec možné dělat králíka bez česneku jen s knedlíky a se zelím.

Mám radu, pokud nemáte umělecké ambice, tak...

NEPEČTE SVÉ KAMARÁDY!

Společná vlastnost byznysmenů se projevila, když pilot nahlásil mikrofonem poruchu letadla s tím že z pasažérů není nikdo ohrožen, ale že zřejmě o život přijde jeden foxteriér, který cestuje v zavazadlovém prostoru, kde prudce poklesl tlak. Pilot ještě řekl, že jsou dvě možnosti. Buď se poletí dál a pejsek dodýchá, anebo nouzově přistane, což bude všechny stát víc než tři hodiny. Šíleně zaneprázdnění obchodníci jednomyslně odhlasovali přistání. Takže... ani lidská budoucnost nemusí být ztracena!

Pes Madonny má obojek od Tiffanyho s pravými brilianty za sedm a půl tisíce dolarů. Hitlera, který miloval vlčáky, se jednou chtěli zbavit a podstrčili mu štěně nakažené vzteklinou. Bohužel se na to přišlo.

Herečka Courtney Love má psa Boba Dylana. Manželka premiéra Blaira má teriéra, který se jmenuje Pilsner Urquel. Arnold Schwarzenegger má labradora, který se jmenuje Štrúdl, a Brigitte Bardotová má psa, který slyší na jméno Gin. Nejvíc se mi líbí, že Ronald Reagan měl dva skotské teriéry, jeden se jmenoval Skotská a druhý Soda!

Mimochodem, loni mi volala teta, která bydlí v Babiččině údolí. Rozvodnila se tam řeka, a když jsem se tety zeptala, jak se má, tak řekla: „*Ani se neptej. Sultán a Tyrl už jsou pod vodou!*"

Spisovatel Jaromír John řekl: „*Zvířata lze vychovat, lidi ne!*"

Asi je to pravda, ale pozor – a to je má poslední rada:

**NIKDY NEZAPOMEŇTE,
ŽE LIDÉ JSOU OBČAS JAKO ZVĚŘ,
ALE ŽE ZVÍŘATA SE NĚKDY CHOVAJÍ
STEJNĚ JAKO LIDI!**

Jak přežít
příbuzné

Velmi nemocná Sára hovoří ke svému muži: *„Slib mi, Kohn, že až umřu, půjdeš za rakví hned s mojí maminkou."* „No tak dobře, Sára, jak chceš, ale ujišťuju tě, že budu mít celej den zkaženej."

Většina z nás někdy zešílí. Pak se rozhodne, že zapomene na všechny nejstrašnější útrapy z dětství, poníží se až na dno a půjde se představit **nové** mamince a **novému** tatínkovi. Dnes se první osudové setkání už běžně nenazývá žádání o ruku. Všichni totiž vědí, že tato slova byla stejně jen zástěrkou pro nelegální výměnný obchod, a že jde taky o start na trati, která v tom nejlepším případě skončí smrtí.

Já jsem se vdávala tajně. Má maminka to zjistila tak, že když jsem šla vyprovodit svého manžela před dům, zavolala jí sousedka a udala mne, že prý jsem měla svatbu. Maminka mi v rychlosti zkontrolovala občanku, přečetla si v ní, že se jmenuji jinak, propukla v hlasitý pláč, a když jsem se vrátila z přízemí do bytu, tak si rvala vlasy a volala: *„Co jsi nám to udělala?"* a bez přechodu: *„Kolik bere a kde mají chatu?"*

Můj muž bral málo, chatu neměl a můj otec chtěl vědět, jak vypadají jeho rodiče. Přišli se k nám proto ukázat a tatínek si je chvilku prohlížel, prohlížel si taky mého muže a pak řekl: *„Má dcera je blázen, ale mám ji rád, protože je to moje dcera, a vás má zas jistě rád váš otec."*

A pak se na mého muže podíval ještě jednou a víc zblízka a řekl: *„Jsou chvíle, kdy se prostě musím opít!"*

No, a protože první setkání s novými rodiči je většinou základním kamenem manželství, tak často vypadá zhruba takhle:

Můj manžel nemá doktorát, můj otec mu to nikdy neodpustil, můj manžel přesto tehdy na té první schůzce dokázal pod laškovným úsměvem mé maminky rozpoznat pečlivé plánování jeho budoucnosti, nasadil proto obličej, který mu vydržel (léty cviku už mu to nedělá sebemenší potíže) dodnes, a právě proto má první rada, jak přežít tchyni, zní:

TVAŘTE SE JAKO IDIOT!

Když se totiž někdo tváří jako idiot, tak pak od něj nikdo nemůže čekat, že poseká trávník, postaví dům, vymaluje byt, vynese odpadky, zaplatí alimenty, nesvede sekretářku a nebude alkoholik!

Zkusil jste jít někdy do lesa a tam zplna hrdla zařvat několikrát za sebou TCHYNĚ – s krátkým Y se píše a má se tak i vyslovovat. Ne?! Tak si to teď, několikrát za sebou, ale v duchu, tiše, zkuste. No nahlas je to mnohem lepší.

Francouzi – jsou to pokrytci – mají pro výraz tchyně slovo *belle mère* – něco jako hezká matka – dá se to vyslovit s ironií, sušší Angličané používají *mother in law* – něco jako matka úřední cestou. Rusové pečlivě rozlišují tchyni od muže – to je *svekor* – a tchyni od ženy – to je *tvršča* – svekor zní hůř, a tak na Rusi to mají asi snachy mnohem těžší. Němci se s tchyní moc nepárají. Jako my. Němci jí říkají *Schwiegermutter* a fakt je, že Oberleitnant zní líp.

Když chcete úspěšně přežít to, že jste si ke své strašně ambiciózní matce a otci, který trpí depresemi, přivzali dobrovolně nové rodiče, kteří necítí rodičovskou povinnost vás bezmezně milovat a mají oficiální diagnózu hysterka a psychotický notorik, tak je nutné se řídit mou druhou radou. A ta zní:

CHOVEJTE SE JAKO IDIOT!

Má přítelkyně se vdávala už potřetí. Vzala si snobského Čechoameričana. Ten byl celou dobu na první návštěvě u své nevěsty velmi mlčenlivý. Až se zdálo, že zapomněl česky. Setkání bylo v rodinném kruhu asi deseti lidí, v honosné čtvrti a u známé dámy. (Noblesní advokátka Dagmar Burešová.) Když se čerství příbuzní loučili, tak mezi banalitami typu: *„Kde mám kabát?"* a *„Máte to tu hezký."* nastala taková zvláštní chvilka ticha. Té okamžitě využil novomanžel, koukl na mísu s doma vyrobenými pochoutkami a velmi nahlas řekl: *„Chlebíčky! Ale ty přece jedí jen úplně nejchudší lidi!"*

Ideální tchyně ve filmech je: křehká, srdečná, krásná a je velmi často naftový magnát! Myslím, že jiné mé přítelkyni se poměrně podařilo zachovat se podle mé druhé rady, když se šla představit svým nadcházejícím rodičům. Tehdy pracovala v mateřské školce a měla dlouhé tmavé vlasy. Ženich ji pyšně předváděl u tabule s bílým ubrusem, na kterém stál drahý porcelán a stříbrné příbory, když tu náhle – zase v tom tichu tak příznačném pro setkání lidí, kteří se ještě moc neznají – něco šustlo a na bílý damašek ubrusu z hlavy kamarádky skočila poměrně vypasená veš. Všichni na ni omráčeně koukali a čerstvá tchyně s přehnanou veselostí řekla: *„Hopla!"* A pak vešku odborně zamáčkla a přitvrdila: *„A už je po ní!"*

Freud se dokonce zabýval rodovými zákony některých primitivních kmenů, aby dokázal, jak nesmírně důležitý je vztah mezi zetěm a tchyní. Napsal, že třeba na Banksových ostrovech, když náhodou potká zeť tchyni na pěšině, tak se musí tchyně k zeťovi obrátit zády a počkat, dokud nepřejde.

Na Šalamounových ostrovech muž nesmí tchyni vůbec zahlédnout; když se mu to nějakou strašnou náhodou stane, tak prchá do úkrytu. U černošského kmene Basogů na Nilu může zeť mluvit na tchyni, jen když je v jiné místnosti a nevidí ji, u Zulukafrů si zeť musí zakrýt obličej štítem a v Jižní Americe to jde dokonce tak daleko, že muž ani nejde po břehu, kudy šla jeho tchyně, dokud příliv neodplaví všechny její stopy.

U nás, v České republice, myslím, docela stačí, když bydlíte tak... čtyři sta osmdesát kilometrů daleko. Fakt ale je, že jedna má známá tchyně volala jednomu mému známému zeťovi, že se jim něco po povodních stalo s domem, že to u nich nějak špatně svítí, že tam má zeť syna na prázdninách a ona má strach, aby s tou elektřinou se něco... A tak, aby se něco..., jel zeť čtyři sta osmdesát kilometrů okamžitě na Moravu, a tam sundal tchyni z nosu tmavé brýle a nasadil jí její průzračné dioptrické a jel čtyři sta osmdesát kilometrů zase domů.

A která příbuzenská setkání jsou nejstrašnější? Svatby, výročí a pohřby.

Jednou měl jeden můj strýc pohřeb, jiný strýc dostal za úkol pronést řeč nad hrobem. Strýc si projev pečlivě připravil, ale protože předtím pršelo, tak půda byla jílovitá a strýc hovořil tak plamenně, jaký byl nebožtík dobrák, že mu sklouzla noha a on do toho hrobu spadl, pak ho všichni tahali ven, ale nešlo to, strejda pořád klouzal dolů, pak byl celý od bahna, vdova plakala, že se tak předváděl, že jí zkazil i pohřeb, a strýc fialový vzteky řval, že to ho jen Pánbůh potrestal za to, že se nechal donutit, aby ze sebe udělal idiota a o mrtvém říkal všechny ty nádherné lži, když všichni stejně vědí, že to byl chlípný gauner!

Má další rada proto zní:

NENECHTE ZE SEBE UDĚLAT IDIOTA!

Ten pohřeb mimochodem tehdy skončil klasicky, protože vdova plakala, jak měla, sice proto, že měla ostudu, ale vypadalo to dobře, manželka strýce s projevem hájila svého muže tak, že vytáhla na světlo fakt, kdo co neoprávněně zdědil, a strýc od jílu se tak opil, že objímal všechny své sourozence i jejich děti a šťastně volal, že je nádherné, že se takhle všichni společně sešli, a že se to zase musí stát co nejdřív. Stalo se to poměrně brzo, ale už si to tak neužil, protože nebožtík byl on a k projevu se nikdo jiný nepřinutil! Jen snacha dostala za úkol, aby na jeho hrob nasázela nějaké květiny, a ona koupila trvalky, aby na hrob nemusela chodit tak často, myslela si, že jsou to afrikány, ale pak ji příbuzenstvo vydědilo, z restitucí polí nedostala ani korunu, protože všichni svorně tvrdili, jak je necitlivá, když na hrob otce otce svých dětí cynicky zasázela fazole, které – mimo jiné – překvapivě hodně nesly.

Mé přítelkyni se nepodařilo zapůsobit, když se poprvé sešla se svou tchyní a ta jí vesele říkala: *„To víš, holka, já v pondělí pe-*

ru, v úterý zašívám a žehlím, ve středu uklízím, ve čtvrtek nakupuju, v pátek vařím, v sobotu dělám na zahradě a v neděli jdu do kostela." A má přítelkyně v domnění, že její tchyně má smysl pro humor, se bezelstně rozesmála a řekla: „No to bych se na to tedy mohla vy...!"

A už se nikdy neviděly.

Před časem se v novinách v černé kronice objevila zpráva:

„33letý J. Š. přišel večer z práce domů a beze slova zastřelil matku své manželky z legálně držené brokovnice." To se může stát. Kuriózní v článku byla tato věta: „Motivy činu nejsou dosud známy." Autorem byl asi člověk, který nikdy neměl tchyni.

Má přítelkyně dokonce vypracovala speciální slovník výrazů pro rozhovor s tchyní: Když říkala: „Ano, jistě", myslela „Blbost", když tvrdila „Je to vynikající", znamenalo to „Nedá se to žrát", když své dcerce jemně říkala „Babička je stará, ale hodná", chtěla naznačit „Je to stará kráva". A když řekla: „Babička má starost o tatínka", měla na mysli „Bába chce spravit střechu"! Když se zasnila a pravila „Je to zajímavé", tak chtěla zařvat: „Jdi už konečně někam!"

Má rada poslední je prostá:

NEBUĎTE IDIOT!

Když jste muž, tak si uvědomte, že i vaše budoucí tchyně byla roztomilá malá holčička, a když jste žena, tak si představte, jak vám bude, až vašeho synka-hošíčka odvede z vaší bezpečné náruče nějaká vypočítavá krutá mrcha. A když vám dojde, že vaše role tchána a tchyně asi taky přijde a že i vy budete moci terorizovat někoho bezmocného, tak... „ano" řekněte a ovládejte se!

Česká historie je totiž nesmírně poučná. Kněžna Drahomíra tvrdila, že její tchyně má na krále Václava špatný vliv. Nechala ji proto zabít. Bůh ví, jak to bylo, jisté je, že Drahomíra do dějin vstoupila jako krvelačná bestie a její tchyně Ludmila? Ta byla prohlášena za svatou!!

To je vše.

Jak přežít
stáří

Sára nechala vytesat na náhrobní kámen svého muže nápis: *„Odpočívej v pokoji."* Pak advokát otevřel manželovu závěť a Sára zjistila, že jí muž odkázal jen velmi málo majetku. Šla proto za kameníkem znovu a požádala ho, aby k původnímu nápisu *„Odpočívej v pokoji"* přidal ještě jednu krátkou větu: *„Než přijdu!"*

Když jsem se zabývala stářím (teoreticky), tak jsem zjistila, že ryba platýs je fascinující proto, že samička pořád roste, má obrovské rozměry a přitom žádné příznaky uplývajícího času se na ní nedají poznat. Zato platýs-samec dosáhne asi jen třetinové velikosti a jde to s ním rapidně dolů! Proč, to nikdo neví. Ví se ale, že samice pavouka sklípkana se dožívá třinácti let a sameček sklípkana jen pěti měsíců. Ví se taky, že současný průměrný věk ženy je sedmdesát osm a půl roku, a že současný věk muže je v průměru sedmdesát jedna let. Ví se dokonce, že ženy většinou umírají v týdnu **po** oslavě svých narozenin a že naopak muži umírají těsně **před** svými kulatinami. A to prý proto, že ženy chápou své narozeniny jako významnou společenskou událost, kdežto muži vnímají blížící se oslavu jako smrtící termín. Já jsem z toho pochopila, že musím rady, jak přežít stáří, podat zvlášť jak ženám, tak i mužům, a že má první rada mužům bude znít:

NESLAVTE SVÁ VÝROČÍ!

Filmoví hrdinové odhalí své stáří většinou tehdy, když, když... se jim „TO" nepovede!

Jak se vám líbí citát paní Wolfové: *„Mužům nevadí být dědečkem. Co jim vadí, je – spát s babičkami!*

Já jsem se na druhou mízu ptala i mého tatínka. Je mu osmdesát devět let a vůbec nechápal, o čem mluvím. Tak jsem svou otázku stále upřesňovala a upřesňovala, až jsem se dostala k tomu, že druhá míza se u mužů prostě nejčastěji projevuje, když chtějí mít vedle sebe hodně mladých žen. A můj tatínek na mne nechápavě koukal a řekl: *„No, ale to byla moje první míza!"*

Má druhá rada pro muže zní:

VYKAŠLETE SE NA ZAJÍCE!

Rakouská spisovatelka Susanna Kubelka je přesvědčena, že starší muži vyhledávají mladé krasavice proto, že jsou tak nezkušené a nejisté, že jen mlčí a poslouchají je, anebo jsou naopak tak soustředěny jen na jejich peněženky, že nepostřehnou, že v noci sice dostaly v drahém hotelu strašně drahé šampaňské, ale že to vlastně bylo... úplně všechno!

Spisovatelka Susanna Kubelka si myslí, že muži chtějí mladší partnerky vlastně jen proto, že své zhruba stejně staré ženy už nedokáží ani uspokojit, ani obelstít.

Můj tatínek je z devíti dětí, čtyři jeho sourozenci žijí a můj tatínek je z nich nejmladší. Když jsem jela k otcovým příbuzným na Ukrajinu, tak mým strýcům a tetám bylo tak kolem sto dvou až sto šesti let, všichni měli děti a ty zase měly děti a ty taky měly děti, a těm dětem těch dětí bylo tak kolem sedmdesáti, ale protože oni tam pečlivě uctívají příbuzenské tradice, tak mi vždycky nějaká babička poníženě řekla: *„Jsem vaše neteř Anna, vítám vás u nás, tetičko!"*, a bylo jí šedesát osm a snažila se mi políbit ruku! A fascinovalo mne taky, že ti sourozenci se vlastně už ani moc nepoznávali. Třeba strýc Michal řekl tetě: *„To přece nemůžeš vědět, Vasilino!"* A já jsem na to řekla: *„Ale to není Vasilina, to je Oxana,"* a strýc mávl rukou a řekl: *„Ale to je jedno."* A Oxana mlčela, protože jí už to taky bylo jedno.

Já si myslím, že na stáří je krásné to, že člověk může konečně všem říct pravdu! Samozřejmě... nepříjemnou pravdu! Takovou pravdu, která se dá omluvit právě jedině... stářím!

Aby ale člověk mohl říct ty strašné věci, musí k nim adekvátně vypadat! Má další „mužská rada" proto je:

NEMĚŇTE SVOU IMAGE!

Spisovatel **Hemingway** jednou prohlásil: *„Není nic směšnějšího než stařec, který si myslí, že je silnější než moře."* Hemingway taky řekl: *„Na stáří nevidím nic strašného."* Byla to jedna z jeho posledních vět, pak vzal totiž pušku a zastřelil se.

Má první rada ženám, které chtějí přežít stáří, zní:

ZMĚŇTE SVOU IMAGE!

Ne každá žena, které je nad čtyřicet, musí mít na hlavě řídký chumáč špatné trvalé, řídké zuby a boty, z kterých vykukují ortopedické polštářky.

Tuhle jsem se zeptala své maminky, jestli by chtěla být znovu mladá, a maminka mi odpověděla: *„Chraň bůh!"* A já jsem přitvrdila: *„A co takhle třeba mladí milenci?!"* A moje matka v hrůze vyštěkla: *„Ještě to tak!"*

Termín „zralá" žena je nesmírně frekventovaný, ale nemohu si pomoci, slovo „zralý" mi asociuje sýr, u kterého je nejvyšší čas ho zkonzumovat.

Navzdory tomu, anebo právě proto má další rada ženám zní:

NAJDĚTE SI MLADÉHO MILENCE!

Mladé milence měla carevna Kateřina Veliká. Mladé milence měla Romy Schneiderová, Agatha Christie i Ursulla Anderssová. Měla je i americká malířka Keefová, která se poprvé vdala v sedmatřiceti, pak se vdala v šedesáti, a když jí muž umřel, tak se odstěhovala do pouště v Mexiku a tam si ve dvaadevadesáti nabrnkla třicetiletého mladíka.

Jak tedy ideálně stárnout?

Ideálně stárnout jde, když jste: úspěšní, talentovaní, zamilovaní a když je vám tak čtyřiadvacet let!

A jak tedy **přežít** stáří?! Žijte! To totiž úplně stačí.

Obsah

Halina Pawlowská

Banánové rybičky

Ilustroval Pavel **Šťastný**.
Přebal, vazbu a grafickou úpravu navrhl Pavel **Šťastný**.
Vydalo nakladatelství **MOTTO**
jako svou **178.** publikaci.
Dotisk prvního vydání.
Praha **2001**.
Odpovědná redaktorka Miluše **Krejčová**.
Sazba **Typa**, spol. s r. o., Praha.
Vytiskla tiskárna **Ueberreuter Print**, spol. s r. o., Pohořelice.

Z EDIČNÍHO PLÁNU NAKLADDATELSTVÍ MOTTO

Halina Pawlowská: Ó, JAK TI ZÁVIDÍM
Nejnovější vtipné a ironické sloupky populární spisovatelky,
v nichž si bere na mušku především samu sebe. **Váz., 168
stran, asi 169 Kč**

**Halina Pawlowská:
DÁ-LI PÁNBŮH ZDRAVÍ, I HŘÍCHY BUDOU**
Halina Pawlowská komentuje své oblíbené a známé citáty.
Váz., 152 stran, asi 149 Kč

Halina Pawlowská: CHARAKTER MLČEL A MLUVILO TĚLO
Láska a milostný život jsou hlavní témata fejetonů Haliny Paw-
lowské. **Váz., 120 stran, ilustrováno, asi 149 Kč**

Halina Pawlowská: ZOUFALÉ ŽENY DĚLAJÍ ZOUFALÉ VĚCI
Druhé vydání úspěšné prvotiny známé autorky a scenáristky
o čtyřicetileté ženě, s níž se rozvedl manžel a ona je nucena
řešit novou životní situaci. Kniha srší nápady a návody, jak
překonat komplexy a citové a rodinné trable a jak relativizo-
vat pojem zoufalosti. Je to kniha plná humoru, laskavosti a ži-
votního optimismu. **Váz., 126 stran, asi 149 Kč**

Halina Pawlowská: PROČ JSEM SE NEOBĚSILA
Další kniha populární autorky obsahuje humorná zamyšlení
nad všedními starostmi. **Váz., 130 stran, asi 149 Kč**

Halina Pawlowská: AŤ ZEŠÍLÍ LÁSKOU
Sbírka vtipných fejetonů na věčné téma. **Váz., 136 stran, ilus-
trováno, asi 149 Kč**

Halina Pawlowská: DÍKY ZA KAŽDÉ NOVÉ RÁNO
Novela známé autorky a scenáristky vypráví o problémech
hlavní hrdinky Olgy, která touží po lásce, ráda flirtuje a bojí
se, že z ní nic nebude. Vtipný příběh se stal předlohou pro
stejnojmenný film, jehož scénář napsala sama autorka a který
sklidil řadu prestižních ocenění. **Váz., 132 stran, asi 149 Kč**

Halina Pawlowská: HROŠI NEPLÁČOU
Sbírka nových (známých i neznámých) povídek a fejetonů.
Váz., 164 stran, asi 149 Kč

Halina Pawlowská: JAK BÝT ŠŤASTNÝ (12 nemorálních rad)
Populární spisovatelka tentokrát pátrá, radí, informuje. **Váz.,
144 stran, 149 Kč**

Iva Hercíková: ZRADA
Nejnovější román o lásce dvou sester k jednomu muži. Krásná Simona chodí s Adamem na schůzky, na vozík upoutaná Ilona si s ním dopisuje prostřednictvím e-mailu. Adam však netuší, že jeho milenka má dvojí podobu... **Váz., 168 stran, asi 169 Kč**

Iva Hercíková: TOUHA
Nový román známé autorky o mnoha podobách touhy. Hrdinkou napínavého, až detektivního příběhu je mladá žena, kterou na cestě za láskou nezastaví žádná překážka. **Váz., 248 stran, asi 169 Kč**

Ilona Borská: DOBRODRUZI S POLOPENZÍ
Autobiografické vyprávění o autorčiných cestách po Evropě a o lidech, s nimiž se při tom setkala. **Váz., 328 stran, asi 169 Kč**

Knihy žádejte především u svých knihkupců,
ale můžete si je také objednat na dobírku. Přijímáme
i telefonické, faxové a e-mailové objednávky.
Balné hradíme za vás.

Napište si o náš ediční plán, rádi vám jej nezávazně
zašleme. Nejaktuálnější informace o našich knihách
včetně rozhovorů s autory a ukázkami z knížek
najdete na internetu na stránce

www.motto.cz

Objednáte-li si z našeho edičního plánu alespoň tři knihy,
obdržíte od nás zajímavou knižní prémii zdarma!
Rozdíl v poštovném hradíme za vás.

Nakladatelství MOTTO
Spolupráce 4, 140 00 Praha 4
tel./fax: 02/61225619, 02/61222515, 02/41403474
E-mail: redakce@motto.cz